リベラルアーツコトバ双書 4

jsPsych による
オンライン音声実験レシピ

黄竹佑　　岸山健　　野口大斗

まえがき

　本書執筆のきっかけは、著者のうちの 1 人が、教養検定会議のウェブ連載の編集担当を勤めたことでした。感染症が猛威をふるうなかでの前任者からの引き継ぎであり、現在でもウェブの編集はすべての作業がオンラインでおこなわれています。本書の執筆構想は、ウェブ連載の編集を始めてから数か月経ったあとの、代表との初めての顔合わせの日にまとまりました。COVID-19 の影響により、あらゆることのオンラインでの代替可能性が模索されていた時期であったため、自然な流れだったのかもしれません。

　もちろん、実験のなかにも対面でないと実施できないものもあります。しかし、特殊な機材を必要としたり、直接他者に触れたり、物質の移動を介在させたりする以外の人間の営みがオンラインで完結するのは、このパンデミックへの対応を通じた社会の学びでもあります。実験においては、対面の実験が容易になったとしても、オンラインで完結できれば、多くのメリットがあります。

　インターネットとプログラムを活用すれば、いつでもどこでも実験を実施できます。被験者とのスケジュール調整が不要であり、実験室に入室できない深夜や早朝であっても、複数人同時であっても、立ち合いの拘束時間なしに実施できます。実験室を確保する必要がなく、遠隔地からでも参加してもらえ、移動時間が発生せず、交通費もかかりません。これは自由に使える研究室や研究費を持たない学生や常勤職のな

い若手が研究を続けていくうえで非常に重要であり、研究以外の業務に追われる研究職の方々が限られた時間のなかでできるだけ多くのデータを収集するうえでも役立ちます。本書が読者のみなさんにとって、オンライン実験への世界へ足を踏み入れる手助けになれば、著者たちにとって望外のよろこびです。

本書のコンセプト
音声知覚・産出の世界へ

　この書籍は、言語の音声に興味を持っている方に、オンラインでの実験を身近に感じてもらい、その魅力を伝えることを目的としています。本書では、実際の jsPsych を利用したオンライン実験手法の概要について学ぶことができます。また、実際にオンライン実験をおこない、データを収集・分析することで実験プロセスを体験できます。

対象読者

　このオンライン実験書籍は、GUI を使用した PC 操作に不自由がない方を対象としています。特に、大学の学部生がレポートや卒論で使用できることを念頭において執筆しました。しかし、新進気鋭の小中学生、意欲のある高校生、または言語の研究をすでにおこなっているがオンライン実験は未経験の方にも、役立つ内容となっています。一方で、すでに GUI のない環境でオンライン実験ができる方や JavaScript に精通している方、jsPsych の公式ドキュメントを読むことができる方には、本書の内容は既知や独習可能なものであ

るため、対象読者とはなりません。

実行環境

　本書に掲載されているコードは、Windows 11 上の Google Chrome で動作確認をおこないました。OS やウェブブラウザが異なる場合は、適宜読み替えてください。

サポート

　本文中のコードなどのデータは、読者サポートページ経由で、もしくは直接著者の GitHub をご覧ください。ソースコードに関する質問は GitHub 経由でお知らせください。

GitHub：https://github.com/uncaneton/online-audio-experiment
読者サポートページ：https://la-kentei.com/support/

免責事項

　本書に掲載した情報には万全を期していますが、コードや紹介しているサービスの利用にともなう責任を、著者および出版社は負いかねます。

目 次

第 1 章 音声のオンライン実験

　音声を聞く際、誰もが同じ音や単語を思い浮かべるわけではありません。人が音を認識する過程には、さまざまな要因が関係しており、そのなかでも大きく影響するのが第一言語（母語）です。読者のみなさんにも、外国語の音を区別できなかったり、相手が意図していない音と勘違いしてしまったりした経験があるかもしれません。

　たとえば、英語の /r/ と /l/ はどちらも日本語のラ行に聞こえることがあります。日本語を母語とする人にとっては、"rice"（米）や "lice"（シラミ）が同じように聞こえるかもしれません[1]。また、英語の "peace" には最後に母音がないにもかかわらず、「ピース」のように「ス」が聞こえる場合があります。このように、発話者が意図した音と私たちに聞こえる音の間には差異が多く、音声の産出（発話）と知覚（聞き取り）には乖離が観察されます。

　これまで、そうした現象の背後にあるメカニズムを知ろうとする研究がおこなわれてきました。研究と並行して手法にも多くの発展があり、たとえば統計分析の発達や実験のオンライン化があります。そのなかでも、本書では「オンラインで実施できる音声実験」の実施方法を紹介します。ここでの

---

1)　lice は louse の複数形です。動物の mouse の複数形は mice ですが、PC で使用するマウスの複数形は mouses とすることが一般的です。

「オンラインで」という表現は、「Google Chrome や Firefox などのウェブブラウザを経由して」とも言い換えられます。

　ウェブブラウザ経由で実験のプログラムを走らせる[2] 方法の 1 つは、JavaScript と呼ばれるプログラミング言語で書かれた "jsPsych" というライブラリ（特定の機能やタスクを簡単かつ効率的に実行するために、あらかじめ用意されたコードの集まり）を使ったものです。音声実験は第 2 章で扱うので、この章ではオンライン実験の概要を説明します。表 1 では、オンライン実験と現地で実施するオフライン実験の違いを比較します。

	環境の違い	モニタリング	被験者属性	費用	安定性	実行数
オフライン	小	可能	限定的	高い	高い	1 人
オンライン	大	困難	幅広い	低い	低い	複数

表 1　オンライン実験とオフライン実験の違い

　まず、オフライン実験について考えると、被験者間の環境を統一できるという特徴があります。音源や録音デバイス、周囲の環境、ネット回線などの環境を同一にすることは比較的容易です。また、被験者のモニタリングも容易であり、安定して実験ができるというメリットもあります。さらに、高

2）　プログラムを「走らせる」という表現がでてきますが、これは英語の他動詞 *run* をそのまま日本語でも慣習として使っているだけであり、「実行させる」と同義です。

価なハードウェアを含む録音機器も使用可能です。ただし、被験者募集に費用がかかり、現実的でない場合もあります。また、1 度に実験を実施できる人数も限定的です。

　それに対して、オンライン実験はスケーラブルであり（時間や空間に制限されず）、参加者が海外にいても対応できます。過去の実験でも URL を使いまわし、実験の時間帯も被験者に委ねられます。さらに、実験に参加する人数も自由に調整できるので、100 人程度なら並列してすぐにデータを収集できます。被験者の移動が不要な場合は、費用も安価で済みます。実験をするうえで、「（設計が）うまい・安い・早い」ということは重要です。しかしながら、オフラインと比較すると、高価な機材を使用することができず、被験者のモニタリングも困難です。

　オンライン実験はスケーラブルであるものの、サービスの多さからプラットフォームの選定が困難な場合があります。そこで、本書では筆者が実際に利用している jsPsych を紹介します。jsPsych は、認知心理学者の Josh de Leeuw 氏によって作られた JavaScript のライブラリであり、心理学実験の作成や実行を容易にする機能が詰め込まれています。そのため、短いコードを組み合わせて実験を作成できます。簡潔さ、実験を実施する際の選択肢の豊富さ、関連した環境の安定性から、本書では jsPsych を選定しました。

　本章の読み進め方は 2 つあります（図 1）。まずは最小限の労力でオンライン実験を実行するための読み方です。このケースでは、1.2 で紹介する Cognition.run というサービスに依存した実験の実行になります。もう 1 つは、

Cognition.run に依存しすぎない、より柔軟な実験の実行を目的とした読み方です。この場合、HTML やローカルホストについても理解する必要があります。

```
Congtion.run のみで実験を作成・実施        Congtion.run 以外でも実行したい場合
1.1.1 構成の全体像
1.1.2 JavaScriptの基本的な文法
1.1.3 jsPsychとミニマルな例             + 1.1.4 JavaScriptのHTMLへの組み込み
1.2.1 Cognition.run
1.2.3 被験者募集の方法                   + 1.2.2 Cognition.run がサービス終了したら
```

図 1　本章の読み進め方

1.1　オンライン実験と jsPsych

1.1.1　jsPsych の全体像

　さきほどは、オフライン実験とオンライン実験を比較しました。ここでは、オンライン実験を可能にする jsPsych に焦点を当て、何がどのように動作するかを説明します。図 2 の左右には、それぞれ被験者の PC と実験者が用意したサーバー[3] が示されています。被験者の PC には Google Chrome や Firefox などのウェブブラウザがインストールされていることを前提とします。図 2 の左側にある被験者の PC は、図 2 の右側にある実験者が用意したサーバーと通信します。

---

[3]　余談ですが、サーバーとは英語で「奉仕人」を、クライアントとは「依頼人」を意味します。ここでは、複数のコンピュータやソフトウェア間の関係を表すために用いられます。

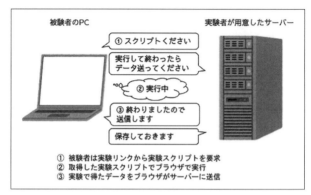

被験者のPC　　　　　　　　　実験者が用意したサーバー

① スクリプトください

実行して終わったら
データ送ってください

②。°°　② 実行中

③ 終わりましたので
送信します

保存しておきます

① 被験者は実験リンクから実験スクリプトを要求
② 取得した実験スクリプトでブラウザで実行
③ 実験で得たデータをブラウザがサーバーに送信

図 2　データのやりとり

　実験の流れは図 2 の① - ③に示されています。最初に、被験者はウェブブラウザで実験のリンクにアクセスし、実験スクリプトをサーバーにリクエストします。サーバーは、そのリクエストに対してスクリプトを返します。つぎに、被験者のウェブブラウザは受け取ったスクリプトを実行します。被験者はウェブブラウザで実行される実験に参加し、最後に、実験中に生成されたデータがウェブブラウザ上で処理され、JSON と呼ばれる形式でサーバーに送信・保存されます。このデータを回収し、データを解析します[4]。

　ここで言及されている「スクリプト」とは、JavaScript と呼ばれる言語で書かれたプログラムのことです。JavaScript はウェブブラウザ上で動作するため、ウェブページに動的な

---

[4]　外部のサーバーにデータを送信してよいかどうかを確認する必要があります。もし送信してはならない場合は、1.2.2 を参照してください。

機能を追加できます。ユーザーによるクリックやフォームへの入力に対し、値の取得や検証が可能になるのです。したがって、この言語で書かれたライブラリを使用すると、被験者によるクリックなどの行動データを収集できます。取得したデータは図2③で述べたとおり、実験者が用意したサーバーに送信されます。

　ウェブブラウザで実行する実験と手元のPCで実行する実験には、本章の冒頭で述べたもの以外にも違いがありそうです。ウェブブラウザで動作する実験は、デバイスを問わず実行でき、被験者側でのソフトウェアは追加インストールが不要です。JavaScriptを使用するため、実験者側はウェブ開発で使われる一般的なアプリケーション（VSCodeといった編集ソフトやGitなどの管理ソフト）も活用できます。さらに、jsPsychは後述するJSON形式のデータをエクスポートするため、柔軟な解析が可能です。

　JavaScriptのスクリプトで必要な機能を最初から自力で書くことは難しいですが、jsPsychを使用することでウェブブラウザ上の実験を作成・実行しやすくなります。このライブラリは、「タイムラインベース」の記述形式を採用しており、実験を構築するさまざまなタスク（文字の表示、画像の表示、音声の再生、質問のフォームなど）を時系列（＝タイムライン）に配置できます。jsPsychでは、それぞれのタスクを自分で実装する必要はありません。

　ただし、JavaScriptとjsPsychについての基礎的な知識は必要になります。以下に、JavaScriptについて簡単にまとめてあります。すでにJavaScriptについて知ってい

る方は読み飛ばしてください。

1.1.2　JavaScript の基本的な文法

　この節では、JavaScript の基本的な事項であるコメント、変数（var）、そしてデータ型（リスト、文字列、数字、辞書など）の違い、そして関数について説明します。R や Python などのプログラミング言語を勉強したことがあれば、なじみ深いものでしょう。詳細については、オンラインで利用可能な JavaScript Primer[5] を参照してください。また、W3Schools Online Web Tutorials[6] などもわかりやすく書かれています。

　まず、コメントについて取り上げます。コメントとはプログラムとして実行されない記述のことです。なぜこれについて最初に書くのかというと、コメントがないコードは他者と共有しづらいからです。この「他者」には、書いた記憶がなくなっている数か月後の自分も含まれます。読みやすいコーディングに関しては、Foucher & Boswell（2012）による『リーダブルコード』を参照してください。基本的には、見ただけではわからないコードを書いてしまったときや、説明が必要なときにコメントを使います。たとえば、スラッシュを 2 つ置くと直後の文字列がコメントになります。また、VSCode などのテキストエディタでは、ショートカットが用意されています。

---

5)　https://jsprimer.net/basic/
6)　https://www.w3schools.com/js/

```
// FIXME や TODO などを書いておく。
// VSCode などのテキストエディタではショートカットが
用意されている。
```

つぎに「変数」についてです。変数とは、文字列や数値な
どにラベルを与えたものを指します。たとえば、audio_
file というラベル名を var キーワードと = で囲み、その後
ろにラベルをつけたいものを記述します。これにより、同じ
ものを使いまわしたい場合にコピー・アンド・ペーストが不
要になります。以下の例では、文字列を変数に代入していま
す。

```
var audio_file = 'espo-1.wav';
```

さらに、本書で理解しておくべきデータ型について説明し
ます。データ型には、文字列、数値、リスト、辞書などがあ
ります。数値は四則演算ができますが、文字列は ' や " で
くくって表し、結合などの操作ができます。また、リストは
文字列や数値などを [] で囲んで作成します。辞書は {と}
の間に、登録する「キー」と「値」をキー：値という形式で
指定し、カンマで区切って記入します。

```
var arr = []; // リスト
var dict = { 'a': 'aa', 'b': 'bb' }; // 辞書
```

ここからは実際に動作させながら、関数の例についても見

ておきましょう。ウェブブラウザ（筆者間で共通して利用しており、執筆時点で最もシェアの高い Google Chrome を例に使います）から「コンソール」という画面を開きます。Google Chrome の場合、右上の 3 点のアイコン→「その他のツール」→「デベロッパーツール」→ 'Console' の順にクリックします。Google Chrome の場合、右上の 3 点のアイコン→「その他のツール」→「デベロッパーツール」→ 'Console' の順にクリックします。Google Chrome 以外のウェブブラウザでのコンソールの開き方は、ウェブで検索してください。なお、執筆時点で jsPsych が対応しているウェブブラウザは、Google Chrome と Firefox、Safari、Edge の 4 種類のみです[7]。最後に、つぎのコードを入力します。

```
// 上記の手順でコンソールを開き、以下を入力する。
console.log(2*3); /* 2*3 の実行結果をコンソールに出力する。*/
```

　HTML ファイルから実行した際に見やすくするため、メッセージを表示する alert に変更しましょう。

```
// 2*3 の実行結果をメッセージボックスに出力する。
alert(2*3);
```

---

7) https://www.jspsych.org/7.3/overview/browser-device-support/

変数を利用して計算するため、n1 に 2、n2 に 3 を代入し、その積を表示させます。

```
// 変数を利用して計算する。
var n1 = 2;
var n2 = 3;
alert(n1 * n2);
```

コードを書き換え、n1 と n2 の値をダイアログというウィンドウで入力させます。ダイアログは以下のように表示させます。

```
var n1 = window.prompt('n1 の値を入力してください。');
var n2 = window.prompt('n2 の値を入力してください。');
alert(n1 * n2);
```

このコードを関数化しましょう。関数とは、事前に手続きを定義してひとまとめにしたものです。カッコを用いて呼び出すことができ、一連の手続きを実行できます。関数は以下のように定義できます。

```
function myFunction() {
  var n1 = window.prompt('n1 の値を入力してください。');
var n2 = window.prompt('n2 の値を入力してください。');
alert(n1 * n2); /* 関数はメッセージボックスに結果を
出力する。*/
```

```
}
```

上記のように定義すると、2 つの数を入力させ、その積をコンソールに表示するという手続きは、関数を呼び出すだけで済みます。

```
myFunction();
```

　今回のように短いスクリプトの場合は不要ですが、jsPsychではスクリプトが長くなり、変数や関数をまとめる必要が出てきます。その場合、「オブジェクト」というまとまりを作って整理することができます。

```
var myObject = {
myFunction() {
  var n1 = window.prompt('n1 の値を入力してください。');
  var n2 = window.prompt('n2 の値を入力してください。');
  alert(n1 * n2); /* 関数はメッセージボックスに結果を
出力する。*/
  }
}
```

　オブジェクトの中の関数は「メソッド」と呼ばれ、これを呼び出すには、「< オブジェクト >.< メソッド >」と書きます。jsPsych には、画面上にデータを表示する機能にはjsPsych.data.displayData() がありますが、今回の例

の場合は以下のようになります。

```
myObject.myFunction();
```

　jsPsych にはすでに多くのメソッドが用意されているため、`jsPsych.data.displayData()` のような短いコードで、複雑な処理を実現できます。ここまでで JavaScript の基本についての説明は終わりです。

1.1.3　JavaScript の HTML への組み込み

　では、つぎに JavaScript を HTML に組み込む方法について説明します。しかし、その前にウェブページの仕組みを簡単に確認しましょう。適当なウェブページを開いて、ページ上を右クリックし、「ページのソースを表示」をクリックしてみてください。ウェブページは、`<>` で囲われた「タグ」のついたテキストで書かれています。それをウェブブラウザが人に見やすく表示してくれているのです。ここでは、最低限必要な要素のみで仕組みを確認しましょう。以下の 3 行をメモ帳などのテキストエディタに入力し、test という名前で保存してください。拡張子は HTML とし、名前をつけます。test.html となります。自動で TXT などの拡張子が入る場合は解除してください。

```
<!-- HTML のひな形を作る。-->
<h1> かけ算の結果 </h1>
<p>x</p>
```

　こうすることで、保存したファイルはダブルクリックにより既定のウェブブラウザで開けます。もし自動的にウェブブラウザで開けない場合は、プログラムを指定して、ウェブブラウザから開いてください。「かけ算結果」の部分が見出し（heading）として強調され、そのほかの部分は段落（paragraph）として通常のフォントで表示されます。

　つぎに、ここにさきほどのスクリプトをそのまま組み込んでみましょう。定義のみだけではなく、関数の実行まで必要であるため、myFunction(); の記述を忘れずにしてください。ファイルを上書き保存して、ページを再読み込みすると、コンソール画面を使わずにスクリプトを実行できます。

```
<script>
// ダイアログに入力された2つ数字の積をメッセージボックスに出力する。
function myFunction() {
    var n1 = window.prompt('n1の値を入力してください。');
    var n2 = window.prompt('n2の値を入力してください。');
    alert(n1 * n2); /* 関数はメッセージボックスに結果を出力する。*/
}
myFunction();
</script>
<h1> かけ算の結果 </h1>
<p>x</p>
```

このままでは HTML は変化しません。そこで、計算結果を使って、x の部分を書き換えてみましょう。最初に読むときには理解できなくても構いません。test.html の内容を以下に更新して、JavaScript でページの表示内容を変化させてください。

```
<script>
/* ダイアログに入力された 2 つ数字の積をメッセージボックスに出力する。*/
function myFunctionRev() {
    var n1 = window.prompt('n1 の値を入力してください。');
    var n2 = window.prompt('n2 の値を入力してください。');
    return n1 * n2;
}
/* 引数の値で id が product である要素を書き換える関数を定義する。*/
function rewrite(answer) {
    var result = document.getElementById('product');
//id が product の中身を取得する。
    result.textContent = answer; /* 引数の answer で product の中身を書き換える。*/
}
var ans = myFunctionRev(); /* 計算結果を ans に代入しておく。*/
</script>
```

```html
<h1> かけ算の結果 </h1>
<p id='product'>x</p>

<script>rewrite(ans);// 書き換えの関数を呼び出す。
</script>
```

　ここまでは JavaScript と HTML を 1 つのファイルにまとめる書き方ですが、分割もできます。以下のスクリプトを test.js というファイルに保存し、test.html と同じフォルダー内に置きます。

```javascript
/* ダイアログに入力された 2 つ数字の積をメッセージボックスに出力する。*/
function myFunctionRev() {
    var n1 = window.prompt('n1 の値を入力してください。');
    var n2 = window.prompt('n2 の値を入力してください。');
    return n1 * n2;
}
/* 引数の値で id が product である要素を書き換える関数
を定義する。*/
function rewrite(answer) {
    var result = document.getElementById ('product') ;
//id が product の中身を取得する。
    esult.textContent = answer; /* 引数の answer で
product 中身を書き換える。*/
}
```

```
var ans = myFunctionRev(); /* 計算結果を ans に代入し
ておく。*/
```

　これにより、test.html を以下に書き換えれば、<script
src='test.js'></script> だけで JavaScript のファイ
ルを読み込めるようになり、HTML が簡潔になります。

```
<script src='test.js'></script>

<h1> かけ算の結果 </h1>
<p id='product'>x</p>

<script>rewrite(ans); // 書き換えの関数を呼び出す。
</script>
```

　JavaScript では、このような仕組みでウェブページを変
化させています。実験のために本来はコードを 1 行ずつ書
く必要があるのですが、jsPsych ではすでに書かれている
ものを呼び出すことによって、簡単にコードを作成できま
す。エンドユーザーに徹するなら、関数を自作するよりも、
ドキュメントを読んだり、GitHub[8] で開発に貢献したりし
ましょう。GitHub のページを知っておくと、バージョン更
新の情報を得たり、必要な機能をリクエストしたりできま
す。また、最新版に組み込まれていない機能も付録 A.4 で

---

8) ソースコードを管理するアプリケーションの 1 つです。

紹介する Git と GitHub の扱いに慣れると利用できるようになります。

　最後に、本題の jsPsych について、ミニマル（最小限）な例で紹介します。

1.1.4　jsPsych とミニマルな例

　以下の例は、文字の提示と収集のみをおこなうミニマルな実験です。1.2.1 で紹介する Cognition.run にスクリプトを入力することで、リンクを発行して実験を実施できます。

　実験において、被験者に文字による指示や質問をする場合があります。そのため、まずは実験の最初に挨拶の文を提示するスクリプトを書いてみましょう。

```
// jsPsych を初期化する。
var jsPsych = initJsPsych({
    use_webaudio: false,
    on_finish: function() {
        jsPsych.data.displayData();
    }
});

// プラグインを利用する。
var welcome = {
    type: jsPsychHtmlButtonResponse,
    stimulus: '実験に協力していただき、\
ありがとうございます。',
```

```
    choices: ['完了（反応時間などを記録します。）'],
    response_ends_trial: true,
};

// ユーザー定義の時間軸にそって実行する。
var timeline = [welcome];
jsPsych.run(timeline);
```

　詳細について見ていきましょう。まず、initJsPsych()によって、jsPsychを初期化しています。jsPsychのスクリプトの冒頭に置くことが一般的です。initJsPsych()のカッコのなかには何も入れなくても実行できますが、その場合はデフォルトの状態でスクリプトを実行することになります。プログレスバーの表示や実験終了後の画面などを指定したい場合は、カッコにパラメータを指定します。パラメータを設定することにより、細かい提示の仕方を調整して初期化できます。この初期化を含めて各プラグインのパラメータは、jsPsychのサイトに詳細に記載されているため、使用前に参照することを推奨します。

　今回は、use_webaudio: false と on_finish: function() {}; を指定します。use_webaudio というパラメータを使用することで、WebAudio API と HTML5 のサポートを設定できます。デフォルトでは true に設定されており、音声ファイルの再生や音声ファイルの時間の測定などが有効になります。ただし、エラーが発生する可能性があるため、ここでは false に設定して無効にします。また、on_finish:

function() {} では、実験終了後の動作を指定できます。ここでは、jsPsych.data.displayData(); を入れているため、実験終了時に画面で収集したデータを提示します。何も指定しなければ、最後に空白の画面が表示されます。なお、サーバーにデータを記録させるには別の指定が必要ですが、本書で紹介する Cognition.run などのオンラインサーバーを使用する場合、jsPsych.data.displayData() でもデータが保存されます。

var welcome = {}; の部分は、jsPsych の文字提示に使用するタスクであり、サンプルスクリプトでは welcome という名前がつけられています。JavaScript で許容される名前であれば、ほかの名前でも問題ありません。ただし、変数名を数字で始めることはできません。したがって、var 1 = 1; のように命名するとエラーが発生します。また、変数 welcome の中身を見ると、最初のキー type に対応する値はプラグインの名前であり、基本的には jsPsych で始まります。

html-button-response（タイプ名：jsPsychHtmlButtonResponse）でも同様に多くのパラメータの設定が可能です。このプラグインは、被験者にマウスでクリックして回答してもらう刺激を作成するために使用されます。そして、stimulus というパラメータは、提示する文字列（例：「実験に協力していただき、ありがとうございます。」）を指定する場所です。JavaScript では、文字列は引用符で囲む必要がありますが、ここでは半角のシングルクォーテーションを使用しています。半角のダブルクォーテーション（例：

19

'実験に協力していただき、ありがとうございます。') でも JavaScript の文法的には問題ありませんが、全角のクォーテーションマークを使用したり、違う種類のものが混在したり、囲まなかったりするとエラーが発生するため、注意が必要です。

choices: [] は、ボタンを指定する場所です。サンプルスクリプトでは、「完了（反応時間などを記録します。）」という文字列が入っているため、被験者が見る画面には「完了（反応時間などを記録します。）」というボタンが表示されます。半角のカンマを使用してほかの選択肢を追加することもできます。たとえば、['戻る', 'つぎへ'] に変更すると、被験者の画面には 2 つの選択肢が表示されます。

response_ends_trial は、被験者が回答を終了したときに試行を終了するかどうかを設定するものです。この設定は true または false を指定できます。true にする場合は、被験者が回答を終えたときに試行が終了します。false にする場合は、設定された時間が経過するまで試行が繰り返されます。特に理由がない場合は、true に設定します。

最後に、jsPsych.run() には、jsPsych のタイムラインを与えます。タイムラインには jsPsych のプラグインで作成したタスクを提示する順番を指定します。さきほど welcome という、マウスで回答してもらうプラグインの刺激を作成したため、タイムラインには welcome のみを入れています。複数のプラグインを使用する場合は、ここに追加する必要があります。したがって、jsPsych のスクリプトを作成する際の手順は、以下のようにまとめられます。

1. jsPsych を初期化する。
2. プラグインを利用してタスクを定義する。
3. タスクでタイムラインを定義する。
4. `jsPsych.run()` にタイムラインを与える。

　さきほど述べたように、プラグインのパラメータ情報はすべて jsPsych の公式サイトに掲載されています。たとえば、プラグインの名前 'html-button-response' と検索すると、つぎに示すページにアクセスできます。

jsPsych 7.3 ▼	
jsPsych	**html-button-response** ¶
Introduction	Current version: 1.1.2. See version history.
Tutorials	This plugin displays HTML content and records responses
Overview	generated by button click. The stimulus can be displayed until a
Reference	response is given, or for a pre-determined amount of time. The
Plugins	trial can be ended automatically if the participant has failed to
List of Plugins	respond within a fixed length of time. The button itself can be
animation	customized using HTML formatting.
audio-button-response	
audio-keyboard-response	**Parameters** ¶
audio-slider-response	
browser-check	In addition to the parameters available in all plugins, this plugin
call-function	accepts the following parameters. Parameters with a default
canvas-button-response	value of *undefined* must be specified. Other parameters can be
canvas-keyboard-response	left unspecified if the default value is acceptable.
canvas-slider-response	

図 3　プラグイン名 'html-button-response' の検索結果

　表の列は左から順番に、parameter（パラメータ名）、type（タイプ）、default value（デフォルト値）、description（概要）となっています。たとえば、**stimulus** というパラメータは、HTML 文字列というタイプで、何も設定してい

ない場合は undefined（未定義）になります。

　jsPsych のバージョン 7 以降では、実際にプラグインを呼び出す際には、type プロパティで別の名前が使用されます。本書では、「プラグイン名」と「タイプ名」を区別しています。通常、プラグイン名は小文字で、単語間にハイフンが挿入されることが一般的です（例：html-button-response）。一方、タイプ名は、最初に "jsPsych" がつき、ハイフンは使用されません（例：jsPsychHtmlButton Response）。

　もう 1 つ見てみましょう。choices というパラメータは、タイプが 'array of strings'（文字列の配列）であることがわかります。この「配列」とは、[] に 1 つ以上の要素が並ぶもので、2 つ以上の場合は半角のカンマで区切る必要があります。デフォルト値は [] であり、何も入っていません。そのままではボタンが表示されず、被験者が反応できない試行になってしまいます。また、最後の response_ends_trial は、被験者が試行が提示される間に反応できるかどうかのパラメータであり、デフォルトは true（つまり、提示が終わっていないときでもボタンをクリックできる）になっています。音声提示または映像提示の場合、一部の被験者は聞き終わっていないのに適当に押してしまう可能性があるため、false にすると安心でしょう。このように、パラメータでプラグインを細部まで調整でき、実施したい実験を最適な仕様にすることができます。

コラム　ローカルで動かすには

　ここまでで、1.2 で紹介するリモートのサーバーでの実行方法について の準備は完了しました。しかしながら、手元で動作を確認したい 場合もあるでしょう。そのような場合には、ローカル環境での実行方 法がいくつかあります。以下に 2 つの方法を紹介します。

　まずは、簡単な方法から説明します。以下の内容を書き込んだ minimal.html というファイルを作成します。

```
<!DOCTYPE html>
<html>
  <head>
   <meta charset='UTF-8'>
   <title>Welcome</title>
   <script src='https://unpkg.com/jspsych@7.3.1'></script>
   <script src='https://unpkg.com/@jspsych/
plugin-html-button-response@1.1.1'></script>
    <link href='https://unpkg.com/jspsych@7.3.1/css/jspsych.
css' rel='stylesheet' type='text/css' />
  </head>
  <body></body>
  <script src='minimal.js'></script>
</html>
```

　つぎに、以下のスクリプトを書き込んだ minimal.js というファイ ルも用意します。

```
//jsPsych を初期化する。
var jsPsych = initJsPsych({
  use_webaudio: false,
  on_finish: function() {
    jsPsych.data.displayData();
    jsPsych.data.get().localSave('csv', 'mydata.csv');
```

23

```
  }
});

// プラグインを利用する。
var welcome = {
  type: jsPsychHtmlButtonResponse,
  stimulus: ' 実験に協力していただき、ありがとうございます。',
  choices: [' 完了（反応時間などを記録します。)'],
  response_ends_trial: true,
};

// ユーザー定義の時間軸にそって実行する。
var timeline = [welcome];
jsPsych.run(timeline);
```

　ウェブブラウザから minimal.html を開くことで、さきほどの実験をローカル環境で実行できます。ただし、<head> タグの部分で読み込んでいるプラグインはスクリプトに合わせて、適宜変更や追加が必要です。

　2 つ目の方法では、GitHub のリリースページから使用したいバージョン（ここでは 7.3.1）のソースコードをダウンロードし、解凍します。解凍したファイルのなかに HTML ファイルを設置する前提で、相対パス（ファイルの場所）を記述します。今回はすべてのファイルがローカルにあるため、1 つ目の方法 minimal.html のパスを以下のように書き換えます。

```
<!DOCTYPE html>
<html>
  <head>
    <meta charset='UTF-8'>
    <title>Welcome</title>
<!DOCTYPE html>
```

```html
<html>
  <head>
    <script src='dist/jspsych.js'></script>
    <script src='dist/plugin-html-button-response.js'>
</script>
    <link href='dist/jspsych.css' rel='stylesheet'
type='text/css'/>
  </head>
  <body></body>
  <script src='minimal.js'></script>
</html>
```

コラム　jsPsych で使える多様な task のパターン

　jsPsych のプラグインは多岐にわたりますが、名前には一定の法則性が見られます。プラグイン名の最後に 'response' とついているものは、被験者に回答を求めるタイプのものです。たとえば、html-button-response は、HTML の内容を提示し、参加者にボタンをマウスでクリックする回答をうながします。jsPsych の公式サイトには、各プラグインのタイプと操作可能な変数が記載されています。名前の法則を理解することで、どのプラグインを使用すればよいかもわかるため、確認しておくことを勧めます。以下にいくつかの例を紹介します。

要素	説明	プラグイン名
html	HTML でテキストなどを表示する質問	html-button-response
audio	音声を提示する質問	audio-html-response
image	画像を提示する質問	image-button-response
video	映像を提示する質問	video-html-response
survey	文字ベースのアンケート	survey-multi-choice
canvas	HTML の Canvas 要素を取り込む質問	canvas-button-response
keyboard	キーボードで操作してもらう質問（スマホなどでは回答不可）	html-keyboard-response
button	ボタンをマウスなどでクリックして回答してもらう質問（スマホなどでも回答可能）	audio-button-response
slider	スライダータイプの質問	html-slider-response

表 2　プラグインの説明と名前の例

　上記のプラグインの記述方法がバージョンによって異なる点に注意が必要です。著者たちも苦労しましたが、jsPsych のバージョン 6 からバージョン 7 に移行する際には、公式ドキュメントの Migrating an experiment to v7.x[9] に記載されている変更点に留意する必要があります。公開されているコードが動かない場合は、バージョンの違いが原因かもしれません[10]。

1.2　外部に公開する方法

　jsPsych で作成した実験スクリプト（1.1.3 の minimal. js）が完成したら、被験者がそれにアクセスできるようにす

---

9)　https://www.jspsych.org/7.0/support/migration-v7/
10)　適切なエディターを使用すれば、引用符の違い（"や"）によるエラーなどは見やすくハイライトしてくれます。しかし、現在のバージョンでは、バージョンの違いによるエラーメッセージも出ず、ハイライトもしてくれません。

る必要があります。自分でサーバーを構築する選択肢もありますが、手間がかかるため、レンタルサーバーまたはサービスの利用をおすすめします[11]。たとえば、Cognition.runというサービスがあります。

1.2.1　Cognition.run[12]（サーバー）

Cognition.run は、jsPsych の実験に特化したプラットフォーム[13]で、タスク（実験）を作成し、jsPsych のスクリプトを入力すればオンラインで実験を実施できます。実験のリンクも自動生成され、参加者が課題を完了したかどうかや、参加者が入力したデータもサイトで確認できるため、非常に便利です。Cognition.run は一部有料化されましたが、現在無料版でも練習や小規模の被験者を集める研究には十分な機能があります（表 3）[14]。

---

11)　自前のサーバーを準備することは、想像しているよりもずっと難しい作業です。サーバーをクラウドにするか、物理的に用意するか、どの OS を使用するか、HTTPS でアクセス可能にするために必要な作業は何か、どの程度の頻度で対応が必要かなどを考える必要があり、現時点では非常に手間がかかります。

12)　DataPipe（https://pipe.jspsych.org/）というサービスも公開されていますが、収集したデータもオープンになってしまうため、音声の公開許可を取っていない限り、音声実験には向きません。

13)　https://www.cognition.run

14)　「80 回までのデータ収集」というと、80 人の参加者を集めることができると思うかもしれませんが、実際にはアクセスしたタイミングでカウントされるため、途中でやめても回数がカウントされてしまいます。そのため、1 日待っても実行されていない試行セットは削除するなどの工夫が必要です。また、1 度アクセスしたら画面を閉じずに最後まで実施してもらうよう依頼することも重要です。

無料版	有料版（個人）	有料版（チーム）
4つのタスク	10のタスク	タスク数制限なし
1つのタスクあたり80回までのデータ収集	1つのタスクあたり500回までのデータ収集	1つのタスクあたりデータ収集回数制限なし
1つの刺激につき2MB	1つの刺激につき100MB	1つの刺激につき250MB
1つのタスクにつき100個の刺激ファイル	1つのタスクにつき500個の刺激ファイル	1つのタスクにつき10,000個の刺激ファイル
1つのタスクあたり最大10個の外部ライブラリ	1つのタスクあたり最大20個の外部ライブラリ	1つのタスクあたり最大50個の外部ライブラリ
共同作業者追加不可	1つのタスクあたり最大2人の共同作業者	1つのタスクあたり共同作業者の数制限なし

表3　無料版と有料版（個人・チーム）の違い

　Cognition.run を利用するには、ユーザー登録が必要です。ホームページにアクセスし、Create an account（アカウントを作成する）をクリックし、必要な情報を入力して登録してください。アカウントはすぐに発行されます。アカウントが発行されたら、自分の実験を Tasks で管理できます。まずは右上の Tasks にアクセスしてみましょう[15]。

15）　Tasks が右上に表示されていない場合は、ログインしてください。

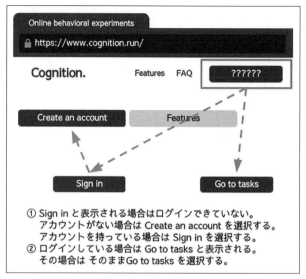

図 4　Cognition.run を利用する手順

　まず、New Task をクリックし、実験名を入力するだけでタスクの作成が完了します。すぐに作り始めたい場合は、minimal と名前をつけます。

図5　タスクの作成手順

Tasks に入ると、Link と、Design、Data collection、Danger Zone の4つのセクションがあります。それぞれを簡単に紹介します。

```
┌─────────────────────────────────────────────────┐
│ Tasks / minimal                         Account  │
│                                                   │
│ ┌───────────────────────────────────────────────┐ │
│ │ Link                                          │ │
│ │ Share this link with your participants.       │ │
│ │ https://<your-link>.cognition.run             │ │
│ └───────────────────────────────────────────────┘ │
│                                                   │
│ ┌───────────────────────────────────────────────┐ │
│ │ Design                                        │ │
│ │ Edit your task paradigm, submit your stimuli and define the Informed │ │
│ │ Consent.                                      │ │
│ │                                               │ │
│ │ Configuration   Source code   Informed consent   Collaborators │ │
│ └───────────────────────────────────────────────┘ │
│                                                   │
│ ┌───────────────────────────────────────────────┐ │
│ │ Data collection                               │ │
│ │ Manage data collected by runs.                │ │
│ └───────────────────────────────────────────────┘ │
│                                                   │
│ ┌───────────────────────────────────────────────┐ │
│ │ Danger zone                                   │ │
│ │ Delete collected data or delete the entire task. │ │
│ │                                               │ │
│ │ Delete task                                   │ │
│ └───────────────────────────────────────────────┘ │
└─────────────────────────────────────────────────┘
```

図 6　Link と Design、Data collection、Danger Zone

　Link は、実験ができたら参加者に配布するタスクの実行リンクです。このリンクは、タスクの作成とともに生成され、Google フォームと同じように実験の中身が変わっても変更されません。

　Design のセクションには、Configuration と Source code、Informed consent、Collaborators の４つがあります。

　Configuration では、タスクの名前などの基本的な設定を変更できます。Accepting participants のチェックを外すと、参加者が実験のリンクにアクセスできなくなるため、緊急時の対応（参加者にリンクを渡したあとにバグを発

見したときの修正など）ができます。また、Advanced configuration を開くと、実験の言語（Task language）を選択できます。こちらを調整すると、参加者が指定の文字コードで実験に参加できます。また、便利な機能として Email notifications があり、チェックを入れると、参加者のデータが入るたびにメールが届くようになります。

　Source code は、jsPsych のスクリプトを書く場所です。外部の画像や音声をアップロードして、実験で使用することもできます。現在、Cognition.run には容量の上限がないようですが、個々のファイルの容量が大きすぎると実験が不安定になる可能性があります。外部のファイルをアップロードするときには、そのサイズにも気をつけましょう。

　Cognition.run は、前述のとおり jsPsych に特化したプラットフォームです。Source code のページに jsPsych のスクリプトを書くだけで動作し、HTML と jsPsych のライブラリの読み込みは不要です。また、jsPsych のバージョンを指定することもできます。複雑な操作をおこなう際には、バージョンが変わると正しく実行できない場合があります。本書で紹介するものは、バージョン 7.3.1 で動作することが確認されています。

　画面の右側はプレビュー画面であり、参加者が実際にどのように見えるかを確認できます。スクリプトを修正すると、自動的に再読み込みされます。必要に応じて、Disable preview でプレビューを閉じることができます。

　Informed consent は、実験の同意書のことです。ここに同意書の内容を入力すると、参加者が実験に参加する前に

同意書が提示され、「同意して続行」するか「辞退して終了」するかを選択してもらえます。「同意して続行」をクリックしないと、実験に参加できません。ここで表示されるボタンの言語は、さきほど設定した Task language になります。もしボタンの言語を変更したい場合は、Configuration → Advanced configuration → Task language で変更できます。なお、Informed consent が空白の場合は、同意画面は表示されません。

　Collaborators では、共同研究者を追加して共同で作業することができます。Collaborators として追加できるのは、Cognition.run に登録されているメールアドレスのみです。有料版の機能ではありますが、大きなグループで共同研究をおこなう場合は、効率的に役割分担できるためおすすめです。Collaborators には、表4に示す3つの権限があります。

	Viewers （閲覧者）	Editors （編集者）	Owners （所有者）
実験リンクの共有	○	○	○
スクリプトの変更	×	○	○
タスクの設定	×	○	○
収集済データのダウンロードと削除	×	×	○
タスクの削除	×	×	○

表4　Viewers と Editors、Owners の権限の比較

1.2.2 Cognition.run のサービスが終了したら

Cognition.run はウェブサービスであり、将来的に終了する可能性があるため、代替手段が必要になるかもしれません。しかし、本書で紹介している jsPsych を使用した実験には、代替手段が豊富にあります。もし Cognition.run が終了しても、jsPsych を使用した実験に致命的な影響はありません。

もっとも簡単な代替手段は、jsPsych の初期化方法を変更し、被験者に jsPsych を読み込んだ HTML ファイルを共有することです（1.1.3 参照）。もともとは、実験が正常に終了したことを示すために、displayData() を使用していましたが、変更後は localSave('csv', 'mydata.csv') を使用しています。

```
var jsPsych = initJsPsych({
  use_webaudio: false,
  on_finish: function() {
    // jsPsych.data.displayData(); // 変更前
    jsPsych.data.get().localSave('csv', 'mydata.
csv'); // 変更後
  }
});
```

変更をくわえた JS ファイルを読み込んだ HTML ファイルを被験者に送信し、実施してもらうと、mydata.csv という名前の結果ファイルが CSV 形式で被験者の PC に保存

されます。その結果ファイルを被験者から送ってもらい、最終的に統合すれば分析できます。ただし、被験者が送信するファイルの名前が重複しないように注意し、被験者 ID などの記録を実験に含める必要があります。

　ただし、この方法ではファイル名の重複や実験ファイルの配布、データの回収と手間が多くなってしまいます。そのため、サーバーを借りる方法や、自分で簡易的なサーバーを立てる方法を概観します。ただし、サービスの変更が頻繁にあるため、詳細な説明はサポートページで更新されることになります。

サーバーを借りる方法：JATOS＋MindProbe

　jsPsych で作成した実験のスクリプトを Cognition.run 以外で実行する場合、図 2 に示したサーバー以外にも、実験リンクの発行や収集したデータの管理が必要です。このような機能を提供してくれるツールの 1 つに JATOS があります。JATOS を使用すると、jsPsych で作成した実験のリンクの作成や権限の指定、被験者管理やデータ保存が可能です。以下では、必要な手順の概要を共有するために、「ローカルホスト」という概念を説明します。

　必要な機能の 1 つに実験リンクの発行があります。図 2 において、そのリンク先は「実験者が用意したサーバー」と表現されていますが、被験者が使用する PC と実験者が用意したサーバーが別であるとは限りません。たとえば、自身の PC で localhost:9000 という、ローカル PC をホストとするためのリンク（＝ローカルホスト）を作成することができ

ます。この作業をおこなうと、ウェブブラウザのアドレス
バーに localhost:9000 と入力してアプリケーションにアク
セスできます。

　ローカルホストを起動する手順は以下のとおりです。な
お、jsPsych を埋め込んだ実験ファイル（例：1.1.4 の
minimal.html）の作成[16] はすでに終了しているものとし
ます。手順 1 では、ローカルに localhost:9000 経由でアク
セス可能な JATOS のアプリケーションを起ち上げます。
手順 2 では、Create the study in your local JATOS
の項を参考にしつつ、JATOS 上で実行できるようにしま
す。minimal.html の場合は特に作業は必要ありませんが、
ファイルの配置や参照の変更が必要になる場合がありま
す[17]。

1. Get started を参考にして、JATOS をローカル PC
   にインストールして起動[18] する。
2. 実験ファイルをローカルの JATOS の管理下に配置[19]
   する。

　ただし、ここまでの段階では、HTML や JavaScript を
参照しているだけであり、データは保存されません。もちろ

---

16)　この段階では、HTML をブラウザで読み込んで、最後まで実行で
　　きるか確認しておきましょう。
17)　JATOS のアプリケーションにおいて、ユーザー名とパスワード
　　はデフォルトで両方とも admin となっています。Google Chrome
　　を使用している場合、警告が表示されることがあります。また、公開
　　する場合は必ず変更してください。
18)　https://www.jatos.org/Get-started.html
19)　https://www.jatos.org/Adapt-pre-written-code-to-run-it-
　　in-JATOS.html

ん、run コマンドを使用すれば動作はしますが、データは保存されません。つぎの手順 3 では、最終的なデータを保存できるようにするための変更をくわえます。jsPsych のために必要な変更は、手順 3 の脚注のリンク先に記述されています。

　3. jsPsych7 実験を JATOS 実験用に修正[20]する。

　手順 3 にて、jsPsych 7 実験を JATOS 実験用に修正します。最後の `jatos.onLoad(() => {jsPsych.run(timeline)});` にある `timeline` はリストであることに注意してください。これで run して動作確認ができたら、手順 4 で JZIP を作成します。

　4. JATOS の Export 機能で JZIP を作成する。

　問題は、これをどうすればオンラインで公開できるかです。JATOS がローカルホストで動いており、同様のものを外部のサーバーを借りて動かせば、そこにデータが保存されます。JATOS のサイトには、Amazon EC2 や Digital Ocean などのクラウドサーバーとどのように組み合わせて使えるかという情報があるので[21]、用途に応じてクラウドサービスの特徴を比較し、最適なサービスを選びましょう。

　選定が難しい場合、ヨーロッパ認知心理学会（European Society for Cognitive Psychology；ESCoP）が研究者向けに無償で提供している MindProbe という、Digital Ocean のサーバーがおすすめです[22]。MindProbe のサー

20）https://www.jatos.org/jsPsych-and-JATOS.html
21）https://www.jatos.org/Bring-your-JATOS-online.html
22）https://mindprobe.eu

バーを利用するには、サイトにある手順にしたがって、学会にメールで使用申請をしてアカウントを作成してもらう必要があります。

　つぎに、手順3にて手元で動くようになった実験を外部に公開する方法の1つである ngrok を使用した手順を共有します。少し手間がかかるかもしれませんが、jsPsych に限らず別の実験でも使用できるため、汎用性の高い内容です[23]。

簡易的なサーバーの立て方：JATOS＋ngrok

　Cognition.run や MindProbe を使わずに、自前でサーバーを用意する方法として、ngrok[24] を紹介します。大まかな手順は、ローカルホストで実行可能なリンクを作成し、そのリンクを外部に公開することです。ローカルホストで実行可能なリンクは、たとえば localhost:9000/publix/tHis1sTest となります。ngrok で公開する場合は、https://this-isas-ampl-eurl.jp.ngrok.io/ で localhost:9000 に接続します。したがって、https://<ngrok で発行したリンク>/<JATOS で発行したリンク>のような形式で、被験者に共有します。

　JATOS のドキュメントでも紹介されている方法に補足説

---

23)　同様の手法を応用することで、心理言語学で広く使われている PCIbex や Ibex の実験も公開できます。詳細については、関西心理言語学研究会のウェブページ（https://www.konan-u.ac.jp/hp/nakatani/kcp/book/）をご覧ください。

24)　https://ngrok.com

明します。まず、ngrok とは、ローカル環境で動作するウェブサーバーを、公開可能な URL でアクセスできるようにするためのツールです。上記の手順で、localhost:9000 で JATOS に ア ク セ ス で き る 状 態 に し ま し た。 も し、localhost:9000 にアクセスしても JATOS のコンソール画面が表示されない場合は、JATOS を起動できていないので、手順 2 を参考に起動してください。この localhost:9000 で動く JATOS に、外部の端末からアクセスを許可します。

　もちろん、本節で紹介する作業のあとでは、ユーザー名とパスワードが初期設定の Admin になっています。このままでは、外部から管理画面にアクセスできてしまいます。その点の対処も含めて手順を共有します。

1. JATOS の管理画面からパスワードを変更する。
2. 作成した実験の General Multiple リンクを作成[25] する。

　まず、JATOS の管理画面からパスワードを変更し、つぎに、作成した実験の General Multiple リンクを作成します。パスワード変更は、あえて独立させ 1 つの手順としています。パスワードは、JATOS のサーバーを終了させても変わらないので、その点も踏まえて設定しましょう。そして、JATOS の実験管理の画面から Study Links に進み、General Multiple の x（バツ）記号をクリックしてチェックマークに変えます。その結果、http://localhost:9000/publix/tHis1sTest のような Study Link が作成されま

---

25) https://www.jatos.org/Run-your-Study-with-Study-Links.html

す。なお、General は一般を対象とするのに対し、そのほかの選択肢にある Personal は個別を想定しているので注意しましょう。また、Multiple は URL を使いまわせるので、1つ発行すれば十分です。

つぎに、ngrok による外部への公開です。以下は、ngrok を使用してサーバーを起ち上げる手順です。

1. ngrok にアカウントを作成してログインする。
2. ngrok の Getting Started[26] からエージェントをダウンロード、インストールする。
3. ターミナルまたはコマンドプロンプトを開き localhost:9000 にトンネルを実行する[27]。

手順3を実行すると、ngrok の画面がターミナル上で起動し、トンネルしている URL（例：https://this-isas-ampl-eurl.jp.ngrok.io/）を表示してくれます。手順2で、すでにローカルホストで実行可能なリンク（例：localhost:9000/publix/tHis1sTest）を作成しました。トンネルにより、https://this-isas-ampl-eurl.jp.ngrok.io/ のような URL が localhost:9000 に接続されているので、https://<ngrok で発行したリンク>/<JATOS で発行したリンク>の形式で、被験者に共有します。

この URL をコピーして他者と共有すれば、ローカルホス

---

26) 各 OS に応じた手順が紹介されます。OS によってコマンドが異なり、アカウント接続の部分では $ngrok というコマンドが必要ですが、実際には $./ngrok でなければ動作しない場合があります。
27) https://ngrok.com/docs/getting-started/#step-4-start-ngrok では 8000 ですが、ここでは 9000 を使用しています。

トで動いている PC にデータが蓄積されていきます。休止状態やシャットダウンにより動作が中断してしまうと、データを受信できなくなるので注意してください。また、ngrok の無料版は再起動すると URL が変わるため、不変の URL としたい場合は有料版が必要です。実験が終わったら、トンネルも終了することが大切です。

　上記の手順における ngrok の部分は、所属組織、あるいは個人で HTTPS 対応しているサーバーを持っている場合は不要です。ただし、サーバーを使うには SSH（Secure Shell）の知識が必要になります。SSH は、暗号化された通信経路を介して、ネットワーク上の別の PC に安全かつ暗号化された接続を提供するネットワークプロトコルです。SSH は、リモート PC にログインするための安全な方法として最もよく使用されています。ただし、本書の範囲を超えるので扱いません。

1.2.3　より多くの実験参加者を集めるには

　実験や調査のプラットフォームができたら、つぎは参加者の募集と実験の実施です。それぞれにオンラインと対面の選択肢があります。これまで共有した内容で、実験のオンライン実施の場合は URL を配布すればよいと説明しました。対面の実施の場合も、URL を配布してウェブブラウザを開いて実行してもらうと手間が少なくなります。募集に関しても、対面ならば直接友人や知人に依頼でき、手早く実験を実施可能です[28]。

　実験の目的に応じて、できるだけ多くの参加者を募集でき

る状況が望ましいですが[29]、親族や友人に頼んでもなかなか目標人数に達しない場合があります。一方で、知らない人に募集するのも手間がかかるため、募集方法がわからず躊躇することも多いでしょう。そのような場合には、オンラインで簡単に参加者を募集できるクラウドソーシングサイトを利用するとよいでしょう。以下に著者が実際に利用したサービスとして、クラウドワークス、Prolific、Amazon Mechanical Turk を紹介します。

　クラウドワークス（CrowdWorks）は日本のクラウドソーシングサービスです。希望者に実験のリンクを共有して参加してもらえます。依頼する際にプロジェクト形式とタスク形式がありますが、前者は希望者とやりとりをしたあとに依頼する形式で、後者はアンケートのように不特定多数の人に依頼する形です[30]。クラウドワークスはクラウドソーシングのサイトで、言語実験に特化したプラットフォームではないため、第一言語や出身、背景などのフィルターがありま

---

28)　実験をおこなう際には、倫理審査が必要であったり、身近な人だけで実験をおこなうとサンプリングバイアスが生じたりする可能性があるため、注意が必要です。

29)　実験参加者の適切な数の決め方についてもありますが、初めは先行研究の数を参考にするとよいでしょう。ただし、ここでは簡略化のために多ければよいという表現を用いています。

30)　Google フォームなどを使用する場合、メールアドレスを回収しなくても、ログインや認証を要求する状態にするだけで、募集を停止させられます。判断基準などは社内情報であり、回答を得ることができませんでしたが、アクセス権限に制限のあるアンケートフォームをタスク形式で提示することはできません。また、1 度掲載を中断したタスクは再掲載できない仕様となっています。

せん。この点については、実験者自身がスクリーニング質問などで対応する必要があります。本人確認済みの利用者に限ったり、所在地を指定したりする有料のオプションもあるので、組み合わせて使用することを検討してみてください。

　Prolific はイギリスに本社を置く、主に英語圏の被験者の募集プラットフォームです。学術研究の参加者募集に特化したもので、主に大学や研究機関で利用されています。短時間で（特に英語圏の）被験者を募集できるのでおすすめです。Prolific には、居住地や第一言語、第二言語などの情報に基づいて参加者を選別するシステムが用意されています。そのため、研究者は目的に合わせて参加者を募集できます。Prolific において基本料金は不要です。注意すべきこととしては、情報がすべて英語で提供されていることです。英語を理解できない人を募集するには適していません。基本的に、第二言語であるとしてもある程度英語を理解できる人を被験者として想定する必要があるでしょう。

　Amazon Mechanical Turk はアメリカのアマゾン社が提供する英語のオンラインマーケットプレイス[31] です。研究の参加者募集に利用する場合は、タスクを作成し、Amazon Mechanical Turk 上で募集をおこないます。タスクを実行することで報酬が支払われ、Prolific より安価に参加者を募集できます。しかし、登録者数が多く、実験に特化したプレスクリーンがサポートされていないため、収集したデータの品質にばらつきの出る場合があります。実験の目

31）　インターネット上で売り手と買い手を結びつける場所を意味します。

的に合致する参加者を注意して選別する必要があります。

　ここまでに紹介したサービスの料金、インターフェースで使われる言語、領収書の発行の有無を表5にまとめました。被験者の母語を選択したい場合や、研究費での支払いに使えるかどうかを考える際の材料にしてください。

	CrowdWorks	Prolific	Amazon Mechanical Turk
登録料	無料	無料	無料
使用料	利用金額の10%	・利用金額の30%（営利法人） ・利用金額の25%（学術機関、非営利法人）	利用金額の10%
インターフェース言語	日本語	英語	英語
領収書の発行	可能	可能（チャージ金額）	AWSを通して可能

表5　被験者をクラウドソースできるサービスの例

　オンラインで実験を募集する際には、注意点があります。まず、オンライン実験では、研究者が直接被験者を観察できないため、データの精度が対面実験よりも低下する可能性があります。参加者がタスクを正確に実行できるように、実験の説明や手順を明確にしておくことが重要です。また、参加者の環境やデバイスによっても精度に影響が出ることがあるため、実験環境による影響を事前にテストし、できるだけ減少させるように心がけましょう。具体的には、ウェブブラウザや画面解像度を指定できます。さらに、データ分析の段階で外れ値や異常値を検出し、適切に処理することで、結果の

信頼性を向上させられます。

　つぎに、オンライン実験中にエラーや問題が発生する可能性があります。参加者が実験をスムーズに進められるように、事前にエラーが発生しないかテストをおこないましょう。また、万が一エラーが発生した場合でも、参加者を適切にサポートできるように、募集サイトや実験中に問題が起きたときの問い合わせ先を被験者に共有しておくことが重要です。実験開始後、オンライン実験の募集ページをこまめにチェックし、質問が来たら迅速に対応しましょう。エラーに対する対応が迅速であれば、参加者のストレスを軽減し、実験をスムーズに進めることができます。

　最後に、報酬を受け取るためだけに実験に参加し、適切にタスクを実行しない参加者も存在することがあります。これを防ぐために、正答率や反応時間をチェックして、適切な努力をしている参加者かどうかを評価できるようにしましょう。たとえば、最低限の正答率や最低反応時間を設定することで、適切なデータ収集が可能になります。また、本実験の開始前に簡単なテストを実施して理解度を確認することも有効です。jsPsych でフィードバックを入れることもできるため、練習セッションだけフィードバックを入れてみましょう。間違いに対してフィードバックすることで、適当に答えた場合は実験者に把握されるということを示しましょう。このように、不適切なデータが混入しづらくすることで、実験結果の信頼性を担保しやすくなります。

第 2 章　音声の提示（知覚実験）

　　知覚実験とは、人間の知覚に対する反応を測定する手法であり、実験の刺激によって知覚を生じさせます。しかし、人間の感覚器官は複数存在するため、知覚の経路も多岐にわたります。言語に関する知覚実験では、主に聴覚（音声言語の刺激）を使用する実験と視覚（手話または書き言葉の刺激）を使用する実験が主流です。古典的な研究には音や光に対する反応時間の差の検証や、音声と口の形が矛盾する条件での知覚の検証があります。

　　これらのモダリティ、特に聴覚を利用した知覚実験は、言語研究において広く使用されています。たとえば、話者の言語音声のカテゴライズの観察や、刺激に対して被験者が感じる自然度の測定などがあります。これらの反応に影響を与える要因を探し、音声処理や言語理解のモデル・仮説を提案・検証することが、知覚実験の目的です。カテゴライズさせる実験と自然度の測定のそれぞれをつぎに説明します。

　　言語研究において、刺激をカテゴライズさせる知覚実験は、大まかに「同定（カテゴリー判断）実験」と「弁別実験」に分類できます。同定実験の例としては、複数の音声の中に同一のものを用意し、どれと同じかを答えさせる課題が該当します。被験者に音素の知識があれば、語彙でなくとも音素レベルで同定させることも可能です。たとえば、日本語で考えると /ta/ と /da/ の音素のカテゴリーを区別できる

被験者に対し、連続的に変わる刺激を提示して同定させるといった課題が該当します。

　弁別実験の例としては、2 つ（またはそれ以上）の刺激に対して、その刺激の関係（同一か相違か、または何番目の刺激は何番目のものと同じかなど）を判断してもらう課題が該当します。被験者に [ebzo] と [ebuzo]、[ebzo] という音声を提示して、3 番目の刺激は何番目の刺激と同じカテゴリーと同じだったかを判断してもらいます。この場合は 1 つ目の刺激と同じと回答するのが正解です。

　上述した同定実験と弁別実験は、実験の目的によって選択するとよいでしょう。同定実験では、ある刺激を被験者に提示し、どちらかに聞こえるか画面にある選択肢を選んでもらうデザインがよく使われます。しかしながら、参加者の母語にない選択肢は作れません。たとえば、音声の [la] に対して /la/ と /ra/ のどちらかを選ばせるような課題を作ってしまうと、そもそも /l/ や /r/ が音素として母語にない場合や、カテゴリーとして習得していなければ選択できないため、不適切です。弁別実験では、同時に比較する対象は基本的に 2 つが上限です。

　ここからは、実験の構造を共有したうえで、弁別実験のABX 課題、そして自然度評価課題を紹介していきます。それぞれの節で、概要と jsPsych で実験を作成する方法を一緒に見ていきます。また、コラムでは、GUI ウェブアプリケーション[32] である Gorilla を使用して作成する方法につ

---

32)　GUI とは、Graphical User Interface の略で、アイコンやボタンを使って操作するインターフェースのことです。Google フォーム

いても補足します。

2.1 実験の構造

　言語に関する実験には、音声を聞いて回答する実験や文章を読んで回答する実験、そしてあらかじめ聞いた単語がほかの単語にどのように影響を与えるかを観察するプライミング実験など、多くの種類があります。種類は異なりますが、基本的な概念と用語は共通しています。

　ここでは、日本語の実験を考えてみましょう。たとえば、「鵜（う／u）」と発音して喉に手を当てると、声帯が振動していることがわかります。同様に、「杉（すぎ）」と発音する場合も、「す」の母音部分（u）で声帯が振動します。しかし、「好き（すき）」という単語の発音は、東京方言などでは「す」の母音部分（u）で振動を感じません。東京方言では、2つの無声音（カ行、サ行、タ行の子音 /k/、/s/、/t/ など）にはさまれる母音の /i/ や /u/ を発音する場合、声帯の振動が感じられず、母音が「無声化」します。無声化とは、もともと声帯の振動をともなう音で声帯が振動しなくなる現象です。

　無声化の有無について調べたい場合、ありうる原因を考え、仮説を立てる必要があります。たとえば、「す」は /su/ と表記できますが、その後続の音に濁点がついていない（無声音になっている）場合は、後ろの子音につられて声帯が振動しないのではないかと仮定できます。つまり、「つぎの音が

　は、基本的にこの GUI を採用している典型的な例です。

有声音かどうか」という要因が母音の無声化に影響を与える可能性があります。この「つぎの音が有声音かどうか」という「要因」がこの実験の結果を左右します。要因とは、観測したい現象に影響する要素のことです。そして、「つぎの音が有声音かどうか」という要因に、「有声音である」と「有声音でない」という 2 つの種類を用意して検証します。要因内で変わる種類は「水準」といって、要因に対して質的または量的に変化させたもので定義します。

　もう 1 つの要因として、「すき」と「すぎ」の発音の違いには、おそらく方言差があります。東京では無声化した単語がよく聞かれますが、関西では無声化の割合が低くなるようです。つまり、「方言」という要因も影響する可能性が高いです。ただし、すべての方言を調査するのは大変ですので、まずは「東京」と「関西」で検証することにします。この場合、「方言」という要因に対して、「東京」と「関西」という 2 つの水準があります。

	要因 1：つぎの音が有声音かどうか	要因 2：方言
水準 1	有声音である	東京方言
水準 2	有声音でない	関西方言

表 6　無声化を例とした要因と水準

　要因の各水準を用意する場合、以下の 4 つの「条件」ができます。

	有声音である	有声音でない
東京方言	条件 A (有声音である・東京方言)	条件 B (有声音でない・東京方言)
関西方言	条件 C (有声音である・関西方言)	条件 D (有声音でない・関西方言)

表7　2要因2水準による4条件の例

　1つの実験では、要因や水準、条件の数に制限はありません。ただし、複数の要因が相互に作用（すなわち交互作用を想定）する場合、統計的に検証する際に計算時間がかかったり解釈が難しかったりすることがあります。そのため、最初はわかりやすい実験デザインを選ぶことが無難でしょう。また、「交絡」と呼ばれる実験デザイン上での問題は避けましょう。

　交絡（confounding）とは、因果関係を調べる際に、調査対象以外の要因が結果に影響を与える現象です。交絡変数があると、独立変数と従属変数の関係が歪められ、実験結果の解釈が困難になり、誤った因果関係の推論を生じさせることがあります。

　たとえば、東京方言を地元の学生に、関西方言をオンラインで広く募集する場合、オンラインでの募集にはオンライン機材に慣れている人が参加することになります。そのため、オンライン機材への熟練度といった要因が方言差と連動してしまい、方言による効果を主張することができなくなります。

　このような交絡を防ぐために、実験計画を慎重に立てる必要があります。たとえば、ランダム化比較試験（RCT）で

は、参加者を無作為に実験群と対照群に割り当てることで、交絡変数の影響を最小限に抑えます。オンライン実験でも同様です。また、統計的手法を用いて、データ分析の段階で交絡変数を調整することもあります。ただし、すべての交絡変数を完全に制御することは困難であるため、研究結果の解釈には注意が必要です。

2.2　ABX 課題

2.2.1　概要

　ABX 課題とは、被験者に 3 つの音声刺激を提示し、最後の音声刺激が前の 2 つの音声のどちらと同じかを答えてもらう実験です。選択肢は 2 つあります。A と B は定数のようなもので、調べたい条件は X で調整します。たとえば、母音の長短の区別が知覚できるかを調べたいときには、短母音を A として用意し、長母音を B とします。被験者に「短音（A）・長音（B）・両者のどちらか（X）」を聞かせ、長音・短音のペアが弁別できるかどうかを見ます。得られる値（すなわち応答変数）としては、一般的には被験者の回答（正解・不正解）です。また、反応時間（話者が刺激を見て回答するまでの時間）も分析に入れる場合もあります。なお、jsPsych のプラグインで実験をおこなう場合、反応時間は自動で記録されます。

　AXB 実験という手法もありますが、ABX と AXB の違いは X（ターゲットの刺激）の位置です。A と B は、違うカテゴリーのものを使います。通常の AXB・ABX よりもやや複雑な実験構成であり、3 つの音声を 1 とおり聞き終

わってから、「どれとどれが同じか」を問う方法もあります。その場合はすべての順番（XAB、XBA、AXB、BXA、ABX、BAX）を用意しなければなりませんが、ここでは最もシンプルな ABX 実験に焦点を当てます。

ABX の長所としては、「どちらかの刺激と同じか」という質問が使われるため、A と B の違いに集中して回答してもらえることです。A と B の提示順と X が A と同じか B と同じかで偏りが出た場合、実験の結果に影響する可能性があると報告されているため、バランスよく変えるとよいでしょう。また、同じ区別をずっと聞くと、提示順序が作用し、実験の意図に気づかれて、実験者効果が現れてしまう場合があります。それを防ぐために、実験の目的と関係ないもの（フィラー）も入れて、ランダムに提示しましょう[33]。

ABX 実験は被験者にとって 3 つの音声を短期記憶にためて回答しなければならないため、実験によって難易度が高い場合があります。本実験に入る前に、練習セッションを設けて課題に慣れてもらう工夫をするとよいでしょう。また、音声知覚で音響的な違いに着目してもらいたい場合は同じ話者の録音でもよいかもしれませんが、より抽象的な言語知識

---

33)　ABX 実験は、X を聞いて、それが A と同じか B と同じかを回答してもらう実験です。A と B を区別できる場合、実験参加者が正解の A に回答する確率が高いことが予想されます。しかし、A と B を区別できない場合、A と回答する確率はどの程度でしょうか。選択肢が 2 つある場合、適当に選んで回答する確率はほぼ 50% になります（つまり、1/選択肢の数 → 1/2=0.5）。そのため、正答率が極端に低い場合は、実験参加者が質問の意図を理解できず、本来の回答と反対の選択をした可能性があるため、注意が必要です。

（音素など）を問いたい場合は話者をあえて変えることもあります。

2.2.2　timeline_variables を用いた実践

　では、弁別実験のスクリプトを確認しましょう。これまでに述べたように（1.1.1）、jsPsych ではタイムラインという概念が中心にあり、最も重要な機能である timeline_variables を使わないと実験を組み立てられません。この概念を説明するために、まずはサンプルの実験を考えます。スクリプトや音声ファイルは全てサポートページからダウンロードして利用してください（2.2.2）[34]。以下ではシンプルではあるけれども問題があるスクリプトと、その問題を解決したスクリプトを紹介していきます。

　まず、シンプルな（問題のある）例として ABX 課題の作成例を挙げます。音声を提示してキーボードで反応させる種類のタスクは jsPsychAudioKeyboardResponse で作成できます。このタスク自体は提示したい刺激や選択肢、試行後の音声、選択肢や提示後の空白時間を指定できます。ABX 課題では連続して異なる刺激を提示します。以下は ABX の順序の刺激 A であり、刺激は 1.1.4 の場合と異なり音声ファイルを指定し、選択肢は与えず、200ms（ミリ秒＝1/1000 秒）でつぎの音声である刺激 B に移行します。これを刺激の B と X でも繰り返します。X では刺激後の空白時間は不要です。

---

34)　https://github.com/uncaneton/online-audio-experiment

```
// 素直に複数の試行を作っていくバージョン（1試行のみ）
var trial_a = {
    type: jsPsychAudioKeyboardResponse,
    stimulus: 'espo-1.wav',
    choices: 'NO_KEYS',
    trial_ends_after_audio: true,
    post_trial_gap: 200,
};
var trial_b = {...}  // a と stimulus 以外は同様です。
var trial_x = {...}  /* a か b と同じカテゴリーに属しま
す。: post_trial_gap は不要です。*/
```

　これで ABX の提示部分は作成できたので、ABX を提示する前の 'fixation' と、被験者の反応を受けつけるタスクも作成します。実験で刺激を提示する場合、被験者の反応を助けるため fixation を画面に提示します。提示時間はtrial_duration で調整でき、提示する刺激は「＋」の場合が一般に多いです。ここでも選択肢を与える必要はありません。

```
var fixation = {
    type: jsPsychHtmlKeyboardResponse,
    stimulus: '<div style='font-size:60px;'>+</div>',
    choices: 'NO_KEYS',
    trial_duration: 1000,
};
```

　もちろん、被験者の反応を取得するタスクも必要です。刺激 X の直後に提示するこのタスクは、stimulus で実験の説明、prompt で細かい指示をしています。タスクにおける prompt は、stimulus の下に小さく表示されます。そして最後に data というパラメータがあります。ここは試行で保存するデータを指定します。試行の種類と刺激の種類（ターゲットか 2.2.2 で紹介したフィラーか）、刺激の通し番号と正答を保存しています。

```
var abx_question = {
    type: jsPsychHtmlKeyboardResponse,
    stimulus: ' 音声提示は a --> b --> x の順でした。',
    choices: ['a', 'b'],
    prompt: '<p> 3 つ目の音 (x) は 1 つ目の音 (a) と \
2 つ目の音 (b) のどちらに似ていますか。</p>',
    data: {
        task: 'abx', // production--perception-
categorization
        type: 'tgt', // filler--target
        item_id: '1',
        correct: 'a',
    },
};
```

　注意すべきこととしては、このようにデータを保存しないと被験者に提示した刺激が何であったのか、そしてその試行

における正解を特定しづらくなります。場合によっては特定もできず、データをとったものの分析できないという状態になりかねません。必ず本実験の前に、パイロット実験と呼ばれる少人数の被験者による実験を実施し、データの分析ができるところまで進めてください。データの分析の説明は簡素ですが、第 5 章にあります。

以上を 1 つのタイムラインにまとめて jsPsych.run に与えれば 1 つの試行が作成できます。今回は刺激 A、B、X を分けて提示しました。もちろん ABX を 200ms ごとに区切った音声を作成してもよいのですが、ABX の中身の順序を入れ替えて ABX のパターンを作るときに刺激の組み合わせは増え、アップロードする音声ファイルの数も増えてしまいます。それに対して ABX を独立して提示させればファイルの数は増えません。したがって、今回は別々に提示しています。

```
var timeline = [
    fixation, trial_a, trial_b, trial_x, abx_question
];
jsPsych.run(timeline);
```

上で定義した trial_a で提示する音源は espo-1.wav ですが、省略した trial_b や trial_x には別の音源があります。ただし、ここには致命的な問題が 1 つあります。それは、上の例は 1 つの試行には十分ですが、試行を複数セット実施するには、試行分の fixation、trial_a、trial_b、 trial_x、abx_question を用意しなければならないということです。つまり、仮に 8 つの試行を実施したい場合は、下のように試行を配置しなければなりません。

```
// 素直に複数の試行を作っていくバージョン（8 試行）
timeline = [
    fixation, trial_a_1, trial_b_1, trial_x_1, abx_
question_1,
    fixation, trial_a_2, trial_b_2, trial_x_2, abx_
question_2,
    ...
    fixation, trial_a_8, trial_b_8, trial_x_8, abx_
question_8,
];
```

　8 つの試行を trial_a_1、trial_a_2、…、trial_a_8 などと定義する場合、さまざまな問題が生じます。たとえば、順番をシャッフルしたり途中で順番を変更したりすることが困難です。また、ファイル名の指定がずれると特定が難しくなったり、全てやり直さなければならなくなったりするため、修正が困難になります。また、コードが増えると、バグの数が増える危険性も高まります。したがって、このような繰り返し方法は避けるべきです[35]。

---

35)　コーディングにおいて記述を繰り返すことは DRY（Don't Repeat Yourself）というアンチパターン（よくない行動）であるとされています。また、「銀の弾丸」や「車輪の再発明」といったほかのアンチパ

このような繰り返しを回避するために、timeline_variablesという機能があります。つぎに問題を解決した、timeline_variablesを使用したバージョンを見てみましょう。まず、図7の左側に示されているように、timeline_variablesを定義します。この形式は一般的にJSON（JavaScript Object Notation）と呼ばれます。今回の場合、JSONはリストで並べた辞書のようなものです。

　ただ図7の左からわかるとおり、JSONは見た目が複雑です。確かに階層的な情報を持たせられる形式ではありますが、これだけの行数を使って表現できるのはたった試行1つです。対して、図7の右にあるCSV形式のデータを見てみましょう。行は試行を示し、列は提示したい音声刺激のファイル名や刺激の番号（sid）、正答（cor）を示しています。しかし、まだわかりづらいため、つぎにJSONとCSVの対応を説明します。

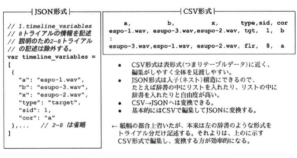

図7　JSON形式とCSV形式の比較

　ターンにも、肝に銘じておくべき考え方が多く存在するため、ぜひ調べてみてください。

　図 7 では、JSON 形式と CSV 形式を比較しています。
JSON 形式の 1 要素目のキーである 'a' に格納されている
値と、CSV 形式の 1 行目の a 列が一致していることがわか
ります（espo-1.wav）。つまり、CSV における行と列は、
今回の JSON では要素番号とキーに相当します。したがっ
て、8 列目の a 列の値は、JSON では 8 番目の要素が持つ
キー 'a' に格納された値となります。これが CSV と
JSON の対応関係です。

　手作業で JSON を作成するのは面倒であるので、現在の
ベストプラクティスは試行を行に持つ CSV ファイルを作成
し、CSV から JSON に変換するというものです[36]。CSV
ファイルは Google スプレッドシートを使用して編集し、
CSV 形式で出力することが一般的です。CSV ファイルを図
7 の左側に示す JSON のように変換すると、要素番号はそ
のまま試行番号になります。JSON の変換内容を timeline_
variables に与えることで、定義が完了します。そして、
図 7 のようになった timeline_variables を使えば、js
PsychAudioKeyboardResponse などの各試行で刺激や正
答などをキーで参照できます。

　キーの参照の例として、trial_a を再定義したものを見て
みましょう。コメントに // 旧版と // 新版を追加しましたが、
旧版では直接ファイル名を 'espo-1.wav' と参照していた

---

36)　CSV を JSON に変換する際には、https://www.convertcsv.
　　com/csv-to-json.htm などのサイトを利用すると便利です。また、
　　役立つ情報やアプリケーションについては、随時 GitHub で紹介して
　　いきます。

のに対して、新版では jsPsych.timelineVariable('a') のようにキーを参照しています。つまり、最初の試行で使用される JSON を使う場合、1 番目の要素が持つキー 'a' が参照されます。

```
var trial_a = {
    type: jsPsychAudioKeyboardResponse,
    // stimulus: 'espo-1.wav', // 旧版
    stimulus: jsPsych.timelineVariable('a'), // 新版
    choices: 'NO_KEYS',
    trial_ends_after_audio: true,
    post_trial_gap: 200,
};
var trial_b = {...};
var trial_x = {...};
```

もちろん、abx_question も timeline_variables を参照させる変更が必要です。

```
var abx_question = {
    type: jsPsychHtmlKeyboardResponse,
    stimulus: '音声提示は a --> b --> x の順でした。',
    choices: ['a', 'b'],
    prompt: '<p> 3 つ目の音 (x) は 1 つ目の音 (a) と \
2 つ目の音 (b) のどちらに似ていますか。</p>',
    data: {
```

```
    task: 'abx', /* production--perception-
categorization*/
    type: jsPsych.timelineVariable('type'), /*
filler--target*/
    item_id: jsPsych.timelineVariable('sid'),
    correct: jsPsych.timelineVariable('cor'),
  },
};
```

　そのあと、以下のように timeline と timeline_variables をキーに持つ辞書を作成します。abx_trial は一見すると辞書ですが、これ自体が試行の配列になります。timeline キーに対応させている値は、JSON から作成した timeline_variables のキーを参照させたい試行（trial_a、trial_b、trial_x など）を含む一連のリストです。同名で煩雑ですが、timeline_variables キーに対応する値は配列型の timeline_variables です。つまり、timeline と timeline_variables をキーに持つ辞書 abx_trial は、配列 timeline_variables が持つ要素数分の timeline を実行し、各 timeline の配列 timeline_variables の要素を参照する試行になります。fixation は timeline_variables を参照しませんが、参照するタスクと一連の手順に含めたい場合は、timeline キーの値に含める必要があります。

```
// 定義済み timeline_variables に 8 試行分の情報を記述
var abx_trial = {
```

```
  timeline: [fixation, trial_a, trial_b, trial_x,
abx_question],
  timeline_variables: timeline_variables  /* 要素
数 (8) 分 timeline を実行 */
};
```

　timeline_variables の説明は以上です。非常に複雑です
ので、すぐに実行して挙動を確認してください。しかし、こ
れだけでは実際の実験に問題があるため、つぎに preload
とシャッフルの機能について導入します。

　ABX 課題では、trial_a、trial_b、trial_x を提示し
ましたが、それぞれの提示は post_trial_gap で指定して
いるとおり、200ms のギャップがあります。もし preload
を使わないと、この試行が始まってから音声をダウンロード
し始めるため、提示するのにダウンロードの時間分のタイム
ラグが発生します。それに対して、preload で事前に音声
をダウンロードしておけば、余分なタイムラグは発生しませ
ん。

　実際に読み込んでおくべき音声ファイルは、timeline_
variables で指定されているはずです。上記では、abx の
キーに提示する音声ファイルが指定されています。スクリプ
トをダウンロードしたページに音声ファイルの ZIP がある
ので、解凍してから Cognition.run に音声をアップロード
します。さらに、実験の冒頭に以下の preload を定義する
ためのコードを記述します。

```
/* TODO: timeline_variables は事前に読み込んでいる
ことを前提とします。*/
var list_audio_preload =
timeline_variables.map(function(obj) {
    return [obj.a, obj.b, obj.x];
}).flat(1);

var preload = {
    type: jsPsychPreload,
    audio: list_audio_preload,
}
```

　このコードでは、各試行の刺激などをリストとして持つ
JSON である timeline_variables の各要素に obj のキー
a、b、x の値をリストで返すという関数を適用します（こう
した要素に対する適用を map と呼びます）。そのままでは、
リストにリストが埋め込まれているネスト状態であるため、
flat(1) を適用して解除します。これで、JSON 形式の
timeline_variables のなかにある abx はネストのないリ
ストとして list_audio_preload に格納されました。それ
を audio というキーに持つ jsPsychPreload という試行を
作成します。
　さらに、提示順序も簡単にシャッフルしなければなりませ
ん。より進んだシャッフルは 4.2 で説明しますが、ここで
は以下のように shuffled_list を abx_trial に与えてや
ると、シャッフルした状態の ABX 課題が作成できます。

```
var shuffled_list = jsPsych.randomization\
  .shuffle(timeline_variables);
var abx_trial = {
  timeline: [fixation, trial_a, trial_b, trial_x,
abx_question],
  timeline_variables: shuffled_list
};
```

　すべてを含むタイムラインを作成すれば、作業は完了です。以下の例では、被験者に対して感謝の意を表す welcome や goodbye を追加しています。実際の実験では、同意を得たり、被験者の番号や属性を収集するタスクを挿入したりする必要があります。特に、被験者を比較する方言調査などの実験では、被験者の番号や属性は欠かせない情報です。また、パイロット実験をおこない、分析できるかどうかを確認することの重要性を改めて強調しておきます。

```
var timeline = [preload, welcome, abx_trial,
goodbye];
jsPsych.run(timeline);
```

　あとは 1.2.1 の内容を参考にしつつ、Cognition.run で実験を作成してスクリプトを実行し、挙動を確認してください。必要なのは実験の JavaScript ファイル、音声ファイル、そして JSON を使って定義した timeline_variables の JavaScript ファイルの 3 点です。大まかには以下の流

れになりますが、特に手順の 5 と 6 でアップロードする場所を間違えないよう注意してください。

1. Tasks／Create new task で適当な名前を付与し（minimal-abx など）Save する。

2. Tasks／minimal-abx／から Design＞Source code をクリックする。

3. Tasks／minimal-abx／Edit 画面を表示する。

4. 実験の JavaScript ファイルをコピーし Task Code に転記する。

5. `timeline_variables` の JavaScript ファイルを External JS/CSS にアップロード[37] する。

6. 音源ファイル（espo-1.wav、esupo-2.wav、supo-3.wav など）を Stimuli にアップロードする。

7. jsPsych library version を 7.3.1 に指定する。

8. Tasks／minimal-abx／Edit の minimal-abx をクリックしてタスク画面に戻り Link を取得する。

9. 被験者に URL を共有し実行してもらい結果を取得する。

ここまでは、シンプルな例、そこで発生する問題（繰り返しが多くなる）、その問題を `timeline_variables` で解決した例、`preload` と順序の調整方法を紹介しました。`jsPsych`

---

37)　実験スクリプトに `timeline_variables` を書き込んでいる場合は、アップロードは不要です。しかし、アップロードする場合は、ファイルである必要があります。そのため、`timeline_variables` を定義したファイルである timeline_variables.js などを作成することをお勧めします。

AudioKeyboardResponse にくわえて、jsPsych にはタスクのパターンが多く用意されています（1.1 のコラムを参照）。これらを timeline_variables と組み合わせることで、実際に研究に使える水準の実験を作成できます。この記法は繰り返しを避けることができ、jsPsych で実験を作成する場合には避けて通れないので、ぜひマスターしてください。

　なお、試行で回答が正しいかどうかを判定することがあります。これは実験の最初に試行の指示をしたあと、被験者が指示を正しく理解しているかを確認するために必要になります。試行がなくても実験は成立しますが、より発展的な内容になるため、第 4 章の 4.2 を参照してください。

コラム　Gorilla：GUI で実験を作成する方法

　Gorilla（https://gorilla.sc/）を使用することで、GUI（Graphical User Interface、ユーザーがアイコンなどで操作できるインターフェース）で簡単に実験課題を作成することができます。プログラミングのコードをまったく使わずに実験を作成したい場合や、予算に余裕がある場合は検討してもよいでしょう。Gorilla の Code Editor を使用すると、すでに作成された jsPsych の実験も読み込めます。詳細については、Gorilla のサイトをご覧ください。

　本書で紹介された Cognition.run と異なるのは、実際に実験をおこない、データを保存する際に、参加者の数に応じた料金が発生する点です。ただし、動作確認のための実行は無料です。

2.3　自然度評価課題

2.3.1　概要

　自然度評価課題は、分野や目的によって許容度や文法性など、複数の呼称があります。この実験手法では、被験者が提示された刺激に対して、どの程度自然（または実験者が指定するほかの評価基準に適合する）かについて回答します。

　実験者が求める回答の形式は、実験の目的によって異なります。たとえば、「自然」か「不自然」という 2 択の課題もあれば、「1 〜 5 で回答しなさい」という課題もあります。前者は ABX 実験と同じく 2 択の問題となるため、ほぼ同じスクリプトで作成できます。ここでは、後者のように順序尺度を用いた自然度評価課題をどのように作成するかを紹介します。

　「1 〜 5 で回答しなさい」の自然度課題では、整数しか答えに出てきません。つまり、1.25 のような小数を回答できないようになっています。スライドバー尺度を用いた自然度評価課題もありますが、今回は扱いません。応答変数には自然度評価（通常は整数）と反応時間を取得できるので、一緒に分析することもあります。自然度評価課題は多くの使い方がありますが、たとえば以下のような場合に使います。

- 自然度（または許容度、文法度）が主な観測指標となる課題を実施する。
1. 2 択では微妙な差を観測できず、順序尺度を用いた自然度評価課題などで微妙な差を検証する。
2. 複数の「不自然」な刺激に差があるかどうかを確認する。

3．実施する予定の課題の刺激の自然さを確かめる。

　自然度評価課題では、別の課題と組み合わせるデザインも可能です。ただし、注意点もあります。まず、順序尺度を用いた場合、数字の大きさと対応する意味は一貫している必要があります。たとえば、「この質問では 5 がもっとも好きだが、つぎの質問では 1 がもっとも好き」といったデザインは、ほかの目的がない場合は避けたほうがよいです。そして、「自然かどうか」といった質問は、個人差が大きく、質問に対する回答も個人の揺れが見られる可能性があります。話者のパフォーマンスを安定させるため、練習問題の作成が望ましいです。また、個人差は、統計モデルで処理できます[38]。

2.3.2　実践

　自然度評価の課題の例として、espo のような音声を聞いたあとに、その自然度を評価してもらう課題を紹介します。具体的には、cat_question という課題で音声を聞いたあとに、rate という課題で自然度を評価してもらいます。音声の提示は cat_presentation というタスクでおこなわれます。これらの課題は、timeline_variables を使用していますので、理解に不安がある場合は 2.2.2 を参照してください。

```
var cat_presentation = {
```

---

[38]　https://kishiyamat.github.io/tutorial-lme-vwp/

```
    type: jsPsychAudioKeyboardResponse,
    stimulus: jsPsych.timelineVariable('audio'),
    choices: 'NO_KEYS',
    trial_ends_after_audio: true,
};


var cat_question = {
    type: jsPsychHtmlButtonResponse,
    stimulus: '<p></p>',
    choices: ['えすぽ', 'えずぼ', 'えくと', 'えぐど',
'えぷそ', 'えぶぞ', 'えつこ', 'えづご'],
    prompt: '<p>どの表記に近いですか？</p>',
    data: {
        task: 'cat',
        type: 'target',  // filler--target
        item_id: jsPsych.timelineVariable('item_id'),
    },
};


var scale = ['1', '2', '3', '4', '5', '6', '7'];
var rate = {
    type: jsPsychSurveyLikert,
    questions: [{ prompt: '聞いた音声は選んだ表記 \
として適切ですか？ <br>1: 全く適切でない <br>7: \
極めて適切', labels: scale }],
    data: {
```

```
    task: 'rate',
    type: 'target',  // filler--target
    item_id: jsPsych.timelineVariable('item_id'),
  },
};
```

　上記のスクリプトからわかることは 2 点あります。まず、`timelineVariable` を使用しているので、これらはつぎのような timeline と timeline_variables をキーに持つ辞書の timeline キーに対応する値になります。さらに、`timeline_variables` キーに対応する配列も必要であり、以下の例では配列 cat_list が参照可能な状態であるはずです。この cat_list はどのようなキーを持っているでしょうか。

```
var cat_trial = {
  timeline: [fixation, cat_presentation, \
  cat_question, rate],
  timeline_variables: cat_list
}
```

　それは timeline のタスクで `jsPsych.timelineVariable` が `'audio'` や `'item_id'` を参照していることからわかります。配列 cat_list の各要素が `'audio'` や `'item_id'` というキーをもち、それぞれのキーに対応するとして音声を示す刺激ファイル名（'esupo.wav' など）や刺激の通し番

号が与えられています。

　ここで押さえておきたいのは、jsPsychSurveyLikert を使っているという点です。この jsPsychSurveyLikert は questions というキーを持っています。キーが複数形であることからわかるとおり、複数の評価を 1 つのタスクに詰め込めます。各評価は {prompt: '聞いた音声は選んだ表記として適切ですか？
1: 全く適切でない
7: 極めて適切', labels: scale } のように提示する内容を prompt、スケールを labels というキーに持つ辞書で表現できます。

　保存されるデータに注意が必要です。保存されるデータは 0 から始まるインデックスですので、上のケースでは被験者に 1 から 7 の評価をおこなわせていますが、リストの要素として考えると 1 は 0、2 は 1 となります。R では index は 1 始まりですが、JavaScript や Python などでは 0 始まりですので、注意してください。

　補足として、今回はそもそもの分類を別のタスク、jsPsychHtmlButtonResponse として定義しました。この理由は jsPsychSurveyLikert であると見た目が一直線に表記されることにあります。あたかも連続的な、順序がつけられるように見えてしまうので分割しています。反対に、もし順序を問いたい問題が同じ刺激に対してあるならば、questions に辞書（prompt と labels をキーに持ちます）を足すと質問を追加できます。

　ABX 課題と同様、以下のように preload、welcome、goodbye などを timeline に追加して jsPsych.run(timeline) と

すれば実験が走ります。

```
var timeline = [preload, welcome, cat_trial, goodbye];
jsPsych.run(timeline);
```

　こちらで必要なデータや完全なスクリプトはサポートペー
ジ経由でアクセスできるので、ぜひ試してください。

第 3 章　音声の収集（産出実験）

　第 2 章では、文字や音声を提示する実験を紹介しましたが、実験の性質によっては、参加者に録音してもらいたい場合もあります。音声を録音してもらう場合は、jsPsych 7 以降のバージョンでは、html-audio-response というプラグイン（タイプ名：jsPsychHtmlAudioResponse）を使用することで簡単に作成できます。ただし、音声や文字の提示課題とは異なり、録音する前に被験者にマイクの使用許可を得る必要があります。また、参加者の操作が知覚実験よりもやや複雑であるため、練習課題を導入することが望ましいです。

　参加者にマイクを使用する許可を得るためには、jsPsych の InitializeMicrophone（タイプ名：jsPsych InitializeMicrophone）というプラグインを使用します。このプラグインを実行すると、参加者の画面にマイクの使用を許可するかどうかの確認メッセージが表示されます。参加者が許可しなければ、録音課題を続けることはできません。したがって、参加者に協力してもらう前に、マイクの使用を許可するように求められた場合は、許可して課題を続けるように伝えておくと実験をスムーズに完了できるでしょう。

3.1　実践

では、実際に録音課題のサンプルコードを確認しましょう。

```
var jsPsych = initJsPsych({
  use_webaudio: false,
  on_finish: function() {
    jsPsych.data.displayData();
  }
});
```

```
// 録音に関するセッションです。まず、つぎの試行はマイクを許可してもらうためのものです。
// これがないと録音課題が実行できないので注意しましょう。
```

```
var initialize_mic = {
  type: jsPsychInitializeMicrophone,
  device_select_message: 'これは被験者に \
マイクを許可してもらうための試行です。\
メッセージ自体は必須ではありません。',
  button_label: ' つぎへ ',
};
```

```
/* 録音試行セッション：
```

上と同じく stimulus のところで文字列を入れると実行できますが、
こちらはリストを読み込んでもらって順次に提示する方法です。
レコーディングの最大時間も設定できます。
また、allow_playback のところを false にすると録音を確認する画面を非表示にできます（最後の 2 行は録音の確認の選択肢です）。
*/

```
var record01 = {
    type: jsPsychHtmlAudioResponse,
    stimulus: '「柿」を発音してください。',
    recording_duration: 10000,
    allow_playback: true,
    done_button_label: '録音を終わりました',
    accept_button_label: '完成しました。つぎの問題へ',
    record_again_button_label: 'もう 1 度録音する'
};

var record02 = {
    type: jsPsychHtmlAudioResponse,
    stimulus: '「牡蠣」を発音してください。',
    recording_duration: 10000,
    allow_playback: true,
    done_button_label: '録音を終わりました',
```

```
    accept_button_label: '完成しました。つぎの問題へ',
    record_again_button_label: 'もう１度録音する'
};


/* 最後のメッセージを入れます（選択）。HtmlButtonResponse
で作ります。*/

var goodbye = {
    type: jsPsychHtmlButtonResponse,
    stimulus: '<p>ご回答ありがとうございました。</p>',
    choices: ['確認'],
    response_ends_trial: true,
};


/* 実行する順番に並べます。実行するものは必ず入れてく
ださい。*/

var timeline = [
    initialize_mic,
    record01,
    record02,
    goodbye
];


jsPsych.run(timeline);
```

　いかがでしょうか。InitializeMicrophone を追加する
必要がありますが、それ以外は共通しています。また、録音
してもらうターゲット（刺激）は文字だけでなく、HTML
を使用することで画像を刺激として提示することもできます
（その場合でもプラグインは html-audio-response を使用
します）。

　音声ファイルが多くある場合、record01、record02、
record03、record04 などと 1 つずつコードで書くことも
できますが、非常に手間がかかります。以下のようにリスト
に格納し、それを読み込ませたほうがよいでしょう。この場
合、record_timeline を追加したため、最後のタイムライ
ンでは record_timeline を走らせることになります。録
音試行セッション以降のコードは以下のようになります。

```
var item_list = [
    {stimulus: '「柿」を発音してください。'},
    {stimulus: '「牡蠣」を発音してください。'},
    {stimulus: '「橋」を発音してください。'},
    {stimulus: '「箸」を発音してください。'},
];

var record = {
    type: jsPsychHtmlAudioResponse,
    stimulus: jsPsych.timelineVariable('stimulus'),
    recording_duration: 10000,
    allow_playback: true,
```

```
    done_button_label: '録音を終わりました',
    accept_button_label: '完成しました。つぎの問題へ',
    record_again_button_label: 'もう１度録音する'

};

var record_timeline = {
 timeline: [record],
 timeline_variables: item_list,
};


/* 最後のメッセージを入れます（選択）。HtmlButtonResponse
で作ります。*/

var goodbye = {
   type: jsPsychHtmlButtonResponse,
   stimulus: '<p> ご回答ありがとうございました。</p>',
   choices: ['確認'],
   response_ends_trial: true,
};

var timeline = [
 initialize_mic,
 record_timeline,
 goodbye
];
```

```
jsPsych.run(timeline);
```

　録音されたものは CSV（または JSON）のファイルに保存されますが、音声データは base64 というテキスト形式に変換して保存されます。変換の際に音声は 64 個の英数字で表現されるため、文字化けのように見えるかもしれません。しかし、この形式を PC が音声ファイルとして認識できる形式にデコードすると、再生できます。そのため、つぎに紹介する手法でデータを変換する必要があります。

3.2　録音データを取り出す方法

　まず、手作業で録音データを取り出します。スクリプトを実行し終えると、実行結果が表示されます。ここでは、{stimulus: '「柿」を発音してください。'}というメッセージに続く response の引用符を除いた文字列を取り出します。この長い文字列には base64 形式で、音声がエンコードされています。自分で録音した音声を使用することもできますが、サポートページから提供されるサンプルデータをダウンロードして使用することもできます。

　この文字列は音声を表しているため、音声ファイルに変換する必要があります。オンラインの信頼性のないサービスを利用すると、被験者から集めたデータが流出する可能性が高まるため、ここではローカルでの変換方法を紹介します。方法は簡単です。新しいテキストファイルを開き、以下のコードをコピーしてください。

```
<audio controls>
  <source src='data:audio/wav;base64, ***
type='audio/wav' />
</audio>
```

　*** の部分を base64 の文字列で置き換え、拡張子を html にして保存します。ウェブブラウザから開くだけで再生できます。保存する場合は、コントローラーの右側の 3 つの点をクリックし、ダウンロードを選択します。

　ただし、実際の実験では膨大な量の音声ファイルが生成されるため、この方法では対応できません。ここでは Python というプログラミング言語を使用して、CSV ファイルで出力した実験データから一括で音声ファイルを作成する方法を確認します。jsPsych からダウンロードした CSV ファイルを、response.csv という名前で Google ドライブ直下にアップロードしている前提で話を進めます。以下のコードを Google Colaboratory という Python 環境に貼りつけて実行します。貼りつけたノートブックには GitHub からアクセスできます。

```
# モジュールをインポートする。
import pandas as pd
import base64

# Google Drive をマウントする。
from google.colab import drive
```

```
drive.mount('/content/drive')

# 保存先のパスを指定する。
file_path = '/content/drive/MyDrive'

'''Base64でエンコードされたオーディオファイルに変換
する関数を定義する。'''
def convert_snd(file_base, s):
    # Base64デコード
    snd = (base64.b64decode(repr(s)))
    return snd

#CSVファイルを読み込む。
df = pd.read_csv\
 ('/content/drive/MyDrive/response.csv')

# Excelファイルの各行について処理を実行する。
for data in df.itertuples():
    '''もしtrial_type列の値が 'html-audio-response'
なら、'''
    if data.trial_type == 'html-audio-response':
        # ファイル名を生成し、
        file_base = str(data.run_id)\
+str(data.trial_index)
        # オーディオファイルを変換する。
        snd = convert_snd(file_base, data.response)
```

```
# ファイルを保存する。
with open(file_path+'/'\
 +file_base+'.wav', 'wb') as f:
    f.write(snd)
```

無事に録音データを音声ファイルとして取り出すことができ
ました。

第4章　発展的な記法

4.1　ランダマイズ

　実験において、刺激をランダムに提示することは非常に重要です。例として、「すぎ」と「すき」の場合を考えてみましょう。実験では被験者にある音声を聞いてもらい、そのなかから母音の無声化を判断してもらいます。しかし、同じ母音の音を続けて聞かせると、被験者はその音に慣れてしまい、聞き分けることが簡単になったり難しくなったりする可能性があります。

　また、刺激の順番も、そのあとの判断や反応に影響を与えることがあります。たとえば、被験者に先に「すき」を聞かせたか「すぎ」を聞かせたかによって、母音の聞こえ方が変わる可能性があります。刺激の順序をランダムにすることで、上記の効果を軽減し、結果の信頼性を高められます。

　jsPsych では、刺激を簡単にランダムに表示することができます。刺激のファイルを配列に格納し、そのまま提示すると逐一表示されるのですが、配列にある要素の順番をシャッフルすることでランダマイズできます。たとえば、jsPsych.randomization.shuffle() というメソッドを使うことで配列の要素の順番をシャッフルできます。

/* array という配列にある要素をシャッフルし、shuffled Array に代入する。*/

```
var shuffledArray =
jsPsych.randomization.shuffle(array);
```

　ランダマイズのバリエーションは多数存在します。たとえ
ば、要素の順番をシャッフルして複数回繰り返して出現させ
るときには、`jsPsych.randomization.repeat()` を使い
ます。1つ目の引数には配列を入れ、つぎに繰り返しの回数
を与えれば問題ありません。

```
/* array という配列にある要素を2回出現させるように
シャッフルし、shuffledArray に代入する。*/
var shuffledArray =
jsPsych.randomization.repeat(array, 2);
```

　繰り返しの回数を1に指定すると、`jsPsych.randomization.`
`shuffle()` と同様に使用できます。また、jsPsych には、
要因を指定してすべての組み合わせを作成する `jsPsych.`
`randomization.factorial()` や、各要素に「重さ」
（weight）を指定して出現確率を調整できる `jsPsych.`
`randomization.sampleWithReplacement()` などがあり
ます。さらに、配列にある要素のランダマイズだけではな
く、アルファベットと数字の乱数を生成する `jsPsych.`
`randomization.randomID()` もあります。詳細について
は、jsPsych のページを参照してください[39]。

---

39) https://www.jspsych.org/7.0/reference/jspsych-
　　randomization/

4.2　フィードバック

被験者に実験の指示が伝わっているか確認するために、練習課題を依頼することがあります。この練習課題では、回答の正誤をフィードバックすることで、被験者に意図した反応を伝えることができます。このフィードバックは、Dynamic parameters を使用して実現できます[40]。以下は、`timeline_variables` を使用してコードを補足したものです。課題は、左向きの矢印にはｆキー、右向きの矢印にはｊキーを押すというもので、アイテムリストは 2 つの試行で構成されています。

```
var jsPsych = initJsPsych({
  use_webaudio: false,
  on_finish: function() {
    jsPsych.data.displayData();
  }
});

var item_list = [
  {'stimulus': '<<<', 'correct': 'f'},
  {'stimulus': '>>>', 'correct': 'j'},
];
```

ポイントは、on_finish に与える関数です。この on_

---

40)　https://www.jspsych.org/7.3/overview/dynamic-parameters/

finishには、試行の結果（data）を参照する関数を定義します。タスクのdataには、choicesへの反応がresponseとして記録されており、そのresponseはdata.responseとして参照できます。そして、jsPsych.pluginAPI.compareKeysにより、反応とtimeline_variableの正答を比較しています。もし同じならば、data.correctにtrueを、異なっていればfalseを格納します。

```
var trial = {
  type: jsPsychHtmlKeyboardResponse,
  stimulus: jsPsych.timelineVariable('stimulus'),
  prompt: '左ならF, 右ならJキーを押下',
  choices: ['f', 'j'],
  data: {
    stimulus_type: 'congruent',
    target_direction: 'left'
  },
  on_finish: function(data) {
    var is_correct = jsPsych.pluginAPI.compareKeys(
      data.response,
      jsPsych.timelineVariable('correct'))
    if (is_correct) {
      data.correct = true;
    } else {
      data.correct = false;
    }
```

```
  }
};
```

　フィードバックも 1 つのタスクとしています。1 つ前の
タスクのデータは、jsPsych.data.get().last(1).values
().[0] で参照できるので、そのデータの correct に格納さ
れているのが true なのか false なのかを参照します。その
値に基づいて、正解か不正解かをフィードバックします。

```
var feedback = {
  type: jsPsychHtmlKeyboardResponse,
  stimulus: function() {
    var last_trial_correct = jsPsych.data.get()
      .last(1).values()[0].correct;
    if (last_trial_correct) {
      return '<p>正解！</p>';
    } else {
      return '<p>残念！</p>';
    }
  },
  prompt: 'スペースでつぎに'
};



var trials = {
  'timeline': [trial, feedback],
```

```
    'timeline_variables': item_list
};

var timeline = [trials];

jsPsych.run(timeline);
```

このようにして、フィードバックを組み込めます。`timeline_variables` を使用しているため、複数の練習課題を実施したい場合は、`item_list` の配列要素を練習課題の数だけ増やす必要があります。

4.3　被験者の環境について

　オンライン実験と対面実験の大きな違いの 1 つは、被験者の環境です。対面実験では、調査者が用意した PC で被験者に参加してもらいますが、オンライン実験では被験者自身の端末を使用するため、通信や設備の環境の違いも考慮する必要があります。現在、jsPsych は複数のウェブブラウザをサポートしていますが、OS（Windows か Mac か、またどのバージョンか）、端末（PC かモバイル端末か）、ウェブブラウザなどによって問題が起きる可能性があります。ここでは、注意点と被験者の環境を把握する方法を紹介します。

　jsPsych の keyboard 系のプラグインは、外付けキーボードがないタブレットやスマホでは反応ができないため、モバイル端末での参加を想定する場合は使わないほうがよい

でしょう。この性質を利用して、意図的に keyboard 系の
プラグインを入れて、モバイル端末で参加する人が最後まで
遂行できないようにする手もあります。また、スマホやタブ
レットなどでは、テキストボックスや画像、映像のサイズが
PC と異なるため、位置やサイズに注意する必要がありま
す。それらの端末でも参加できるようにしたい場合は、事前
にテストするとよいでしょう。

　被験者がどのような環境で実験に参加したのか把握したい
という場合は、browser-check というプラグイン（タイプ
名：jsPsychBrowserCheck）をおすすめします。browser-
check は、jsPsych 7.1 以降の新機能で、最も基本的な
サンプルコードはこちらです。これを入れて最後のタイムラ
インに追加すれば、被験者の環境を記録してもらえます。

```
var browser_check = {
    type: jsPsychBrowserCheck
};
```

　記録されるものは以下です。

名前	タイプ	説明
width	整数	被験者の画面の広さ（単位：ピクセル）
height	整数	被験者の画面の高さ（単位：ピクセル）
browser	文字列	被験者が使っているウェブブラウザ
browser_version	文字列	被験者が使っているウェブブラウザのバージョン
os	文字列	被験者が使っている OS
mobile	バイナリー	被験者のウェブブラウザがモバイル（スマホやタブレット）のものかどうか
webaudio	バイナリー	被験者のウェブブラウザが WebAudio API をサポートするかどうか
fullscreen	バイナリー	被験者のウェブブラウザがフルスクリーンをサポートするかどうか
vsync_rate	数値	被験者の画面のリフレッシュレート（単位：フレーム / 秒）
webcam	バイナリー	被験者の環境にウェブカメラがあるかどうか（ウェブカメラがあっても使用する場合はプラグインで許可してもらう必要あり）
microphone	バイナリー	被験者の環境に録音設備があるかどうか（録音設備があっても使用する場合はプラグインで許可してもらう必要あり）

表 8 jsPsychBrowserCheck により記録ができる被験者の環境

　Cognition.run を使う場合、browser-check のプラグインを入れなくても、上記の情報を自動で記録できます。

　browser-check は、被験者の環境を返してもらうだけではなく、必要に応じて条件を満たさない被験者を参加させないように制限できます。たとえば、スマホやタブレットなどで参加できないようにしたい場合は、inclusion_function というパラメータで条件を設定できます。jsPsych のサイ

トにあるサンプルコードを確認しましょう。

```
var browser = {
    type: jsPsychBrowserCheck,
    inclusion_function: (data) => {
        return data.browser == 'chrome' && data.mobile
=== false
    },
    exclusion_message: (data) => {
        if (data.mobile) {
            return '<p> この実験は PC でしか \
参加できません。</p>';
        } else if (data.browser !== 'chrome') {
            return '<p> この実験は Google Chrome\
からでしか参加できません。</p>'
        }
    }
};
```

　inclusion_function で条件を設定します。このサンプルコードには 2 つの条件が設けられており、browser は 'chrome' という値かつ mobile は false である（つまりスマホやタブレットなどのモバイル端末ではない）必要があります。

```
inclusion_function: (data) => {
```

```
    return data.browser == 'chrome' && data.mobile
=== false
},
```

上記の部分だけ入れても条件を満たさない被験者を除外でき
ますが、被験者側から見ると問題がわからないので、メッ
セージをつけくわえたほうが親切でしょう。除外されたとき
に出てくるメッセージは、exclusion_message というパ
ラメータで設定できます。サンプルコードでは、「mobile
の値が true である」場合は、「この実験は PC でしか参加
できません。」というメッセージを出し、また、「browser
の値が 'chrome' でない」場合は、「この実験は Google
Chrome からでしか参加できません。」を出すようになって
います。このように、被験者の環境を browser-check で把
握し、設定した条件を満たさない被験者を最初から除外でき
ます。

第 5 章　R による可視化と分析

5.1　環境設定

　被験者が実験に参加したあと、CSV または JSON 形式の
データを取得できます。Cognition.run では、'Download
data' ボタンをクリックし、CSV または JSON の拡張子
でダウンロードできます。

　CSV と JSON は、データのフォーマットで、前者は表
形式のデータを扱う場合によく使われ、Microsoft Excel
や Numbers などの表計算ソフトで直接開けます。一方、
JSON 形式はツリー構造で表現されるため、複雑なデータ
構造を扱えます。また、JSON は多くのプログラミング言
語でよく使われるフォーマットの 1 つです。

　ただし、音声録音を含むデータを扱う場合、CSV 形式で
直接ダウンロードすると、データに base64 が含まれるた
め、データが正しく処理されない可能性があります。もし、
CSV 形式でダウンロードしたデータに欠損値が多く含まれ
ている場合は、JSON 形式でダウンロードし直し、データ
の中身を確認してから CSV に変換することをおすすめしま
す。

　ダウンロードしたデータをそのまま開いて傾向を目視する
こともできますが、グループ間で差異があるかどうかは肉眼
で確認するのは困難です。そこで統計が役立ちます。この本
は、オンライン音声実験を中心に取り上げており、本格的な

統計処理は扱いませんが、著者たちが使っている統計手法とプラットフォームを簡単に共有します。主な統計のプラットフォームには SPSS、SAS、R などがありますが、ここではフリーソフトウェアである R と RStudio を紹介します。R と RStudio は、データ分析や統計処理のために作られたものです。エンジンと車の例になぞらえると、R はエンジンのように、データ分析のために必要な機能を提供します。そして、RStudio は、R というエンジンをのせた車のように、R の機能をより使いやすくするための開発環境です。

　R と RStudio を使用するには、端末にインストールする必要がありますが、Posit Cloud（旧：RStudio Cloud）を利用すればクラウド環境で R と RStudio を利用でき、自分の PC に R や RStudio をインストールする必要がありません。まず、以下のとおりに操作します。

1. Posit Cloud のウェブサイト[41] にアクセスし、アカウントを作成します。
2. 作成したアカウントで Posit Cloud にログインし、右上にある 'New Project' → 'New RStudio Project' という順番でクリックし、プロジェクト名を入力します。
3. プロジェクトが作成されると、以下のように R のコンソールが表示されます。

---

41) https://posit.cloud/

　左側には R のコンソールがあり、R のコマンドを入力し
て実行できますが、スクリプトを作成することで全体像を把
握しやすくなります。R のスクリプトには複数の R コマン
ドを含めることができ、またコマンドの解説をコメントで追
加できます。拡張子は R（デフォルトの形式）または Rmd
（RMarkdown の拡張子）です。スクリプトを保存しておく
ことで、同じコマンドを再利用できます。スクリプトの作成
には、'File' → 'New file' → 'R script' の順にクリックし
ます。作成された画面は以下のようになります。

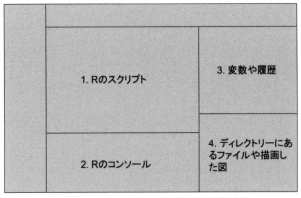

図 9　Posit Cloud のペイン（分割された画面）

　画面の左上には R のスクリプトがあり、テキストエディ
タのように使用できます。ここには R で実行するコマンド
やコメントを記入できます。左下には R のコンソールがあ
り、R のコマンドを入力して実行するためのインターフェー
スとなります。ここで実行結果も確認できます。スクリプト

がある場合には、そのスクリプトを 1 行ずつ読み込むとコンソール上で実行されます。右上は環境ビューアで、実行中に生成された変数の中身などを確認できます。右下にはディレクトリやファイル、そしてコマンドで生成した図表などが表示されます[42]。

5.2 データの読み込み

分析をはじめるには、実験結果の CSV ファイルをアップロードしなければなりません。まず、画面右下にある 'Files' タブをクリックして、ファイルビューアを開きます[43]。つぎに、'Upload' ボタンをクリックし、アップロードしたいファイルを選択し、'Open' ボタンをクリックすると、ファイルのアップロードが開始されます。ファイルのアップロードが完了すると、ファイルビューアにアップロードされたファイルが表示されます。

アップロードされたファイルを使用するには、R のスクリプトで読み込む必要があります。たとえば、CSV ファイルを読み込む場合は、以下のようにコマンドを入力します。コマンドの実行は、コンソールで直接実行することもできますが、スクリプトで作成し、1 行ずつスクリプト画面の上にある run をクリックして走らせることもできます。**header=T** は、表の 1 行目をヘッダーとして扱うときに使います。

---

42) 近年は、分析スクリプトを作成する際に RMarkdown という形式のファイルを使用することが主流となっています。
43) デフォルトでは 'Files' というタブが開かれています。

```
# data.csv という CSV ファイルを読み込んで、
# df に代入します。
df <- read.csv('data.csv', header=T)
```

　ここで R の特徴を簡単に紹介します。まず、R ではデフォルトで 1 行ずつコマンドを実行し、その結果を見ながらコマンドを入力することができます。スクリプト全体を作成し、すべて実行することも RMarkdown を使うことで可能になり、jsPsych のスクリプトのようにコードごとに実行することもできます。つぎに、コメントを書く場合には、JavaScript では // を使いますが、R では # を使います。さらに、R では <- を代入の演算子として一般的に使用しています。たとえば、x <- 1 の場合、右側の値を左側の変数に代入できます。

　読み込みが完了したら、データの中身を確認しましょう。

```
head(df)
summary(df)
```

　ここでは、head( ) と summary( ) という関数を使ってみます。head( ) 関数は、データフレームや行列の先頭から指定した行数分のデータを表示するために使用されます。データの概要を把握するために便利な関数であり、表示する行数は引数 n を使用して指定できます。たとえば、head(df, n = 3) とすると、df というデータフレームの冒頭の 3 行を表示してくれます。

一方、summary() 関数は、データの統計的な概要を表示するために使用されます。データフレームの各変数の平均、最小値、最大値、四分位数、欠損値の数などが表示されます。データの概要を確認する際に便利な関数であり、summary(df) のように使用します。

5.3　可視化

　Rの強みは、統計分析と可視化にあります。これは、Rのウェブサイトでの紹介文（R is a language and environment for statistical computing and graphics）からも明らかです[44]。一般的に、可視化には ggplot2[45] というパッケージが使われます。ggplot2 は、データの視覚化するためのR用のグラフィックスパッケージで、'Grammar of Graphics' という考え方に基づいています。このため、複雑な視覚化も簡単に実現でき、複数のグラフを組み合わせたり、デザインやスタイルを変更したりすることも容易です。

　まず、実験結果を説明するのに最適な図を選択するためのフローチャートを参照することをお勧めします。パッケージのリンクには Cheatsheet が掲載されています。数の数と種類から適切なグラフの種類（例：点、線、棒、面など）を選ぶところから始めます。たとえば、弁別実験の場合は、カテゴリカルな要因を横軸、正答率を縦軸に表現したいので、one discrete, one continuous の項目から選びます。そうすると、箱ひげ図（geom_boxplot）が候補の1つにな

---

44)　https://www.r-project.org/about.html
45)　https://ggplot2.tidyverse.org/

ります[46]。

　形状が決まったら、公式ページの geom セクション[47] から該当するページを参照しましょう。たとえば、箱ひげ図の場合は geom_boxplot をクリックします。遷移先のページは使い方になっていますが、最初のうちは例を示すセクションを見て真似すると効率がよいです[48]。Grammar of Graphics は、データとジオメトリ（グラフの種類）、エステティックの 3 つが基礎的な構成要素です。ここまでジオメトリを見たので、データとエステティックの 2 つの関連をつぎに紹介します。

　説明のため、データ mpg を利用します。この mpg は、車の燃費（miles per gallon、ガロンあたりの走行距離）に関する情報を含んでいます。まず、ggplot2 を利用可能にするために、install.packages('ggplot2') を実行し、library(ggplot2) でパッケージを読み込みます。さきほどの head(mpg) や summary(mpg) で基礎的な情報を確認するとよいでしょう。

　geom_boxplot のページには以下の例があります。このコードの ggplot は関数であり、グラフを作成します。その

---

46)　描画したいデータの種類によって、適切なグラフの種類が異なります。箱ひげ図以外にも、散布図、棒グラフ、ヒストグラムなどがあります。仮説を検証するためには、効果的なグラフを選ぶことが重要です。

47)　https://ggplot2.tidyverse.org/reference/index.html#geoms

48)　https://ggplot2.tidyverse.org/reference/geom_boxplot.html#ref-examples

とき、データを第1引数に取り、第2引数にはエステ
ティックを取ります。

```
p <- ggplot(mpg, aes(class, hwy))
p + geom_boxplot()
```

　エステティックの中身は、ジオメトリックに対応してお
り、今回の箱ひげ図は x と y が必要です。したがって、aes
の中身に x と y を指定しましょう。以下の例では class と
hwy です。それらの x と y はデータ mpg の列に対応してい
なければなりません。class は車の種類（例：コンパクト、
SUV、ミニバンなど）を示しており、hwy は高速道路での
燃費（ガロンあたりのマイル数）を示しているので、この箱
ひげ図は車のクラスごとの燃費を示します。ABX 課題の場
合、条件ごとの正答率を表現するのに使えます。

　ここでは簡略化しましたが、Grammar of Graphics に
はデータとジオメトリ、エステティックのほかにも、スケー
ル[49] やファセット[50]、テーマ[51] など便利な文法が多く含
まれています。ここでは全て紹介しきれませんが、論文やプ
レゼンに適したテーマを選択し、わかりやすいグループ分け
をファセットでおこなうとよいでしょう。1度作成すれば、

---

49)　データの値を視覚的な特性に変換する方法（例：線形スケール、
　　対数スケールなど）です。
50)　データをグループ化し、複数の小さなプロットに分割できます。
51)　プロットの背景、軸ラベル、フォントなどの視覚的スタイルを設
　　定できます。

同じテーマを使いまわせるので、論文や発表の資料を作る際に手間を大幅に削減できます。

5.4　統計分析

　つぎに、統計分析をしてみます。R では統計パッケージが多数あり、目的に応じて使用するパッケージとインストール・読み込みをすることができます。ここでは一般化線形混合モデルのスクリプトを例に紹介します。

```
# lme4 パッケージのインストールする（初回実行時のみ）。
install.packages('lme4')

# lme4 パッケージの読み込む。
library(lme4)

# data.csv という CSV ファイルを読み込んで、
# df に代入する。
df <- read.csv('data.csv', header=T)

# 一般化線形混合モデルを作成する。
m1 <- glmer(response ~ factora*factorb+ (1|participant)
+ (1|item), data = df, family='binomial')

# 一般化線形混合モデルの結果を確認する。
summary(m1)
```

このスクリプトは、glmer()関数を使用して一般化線形混合モデルを作成しています。responseは被験者が実験で回答した応答変数です。ABXなどの2つの選択肢しかない知覚実験をおこなった場合、左側のボタンは0、右側のボタンは1とJavaScriptで定義されます。factoraとfactorbは2つの固定効果であり、(1|participant)と(1|item)はランダム効果を表します。演算子*は、factoraとfactorbの主効果と交互作用を評価することを意味します。dfをデータセットとして使用するために、data引数にdfを指定します。また、family引数にはbinomialを指定し、バイナリーモデルを作成します。このスクリプトを実行すると、一般化線形混合モデルが作成され、その結果が変数m1に代入されます。

　統計検定は多種多様であり、分析の目的に応じた適切な統計検定を選ぶことが重要です。たとえば、データの形式がABXのように二項分布にしたがう場合には、二項検定を使用することが適切です。また、データが正規分布にしたがう場合には、分散分析などを使用することもできます。

　統計の詳細やモデルの細かい説明は省略しますが、適切な統計検定を選ぶためには、分析の目的やデータの形式を理解し、それに応じた統計検定を選ぶことが大切です。統計に興味がある方には、統計に関するサイトや専門書を参照することをおすすめします。

A.1　ほかのメディアを扱う実験

　jsPsych のプラグインは多岐にわたり、さまざまなメディアを扱うことができます。たとえば、image-button-response プラグインを使用すると、画像を刺激として使用することができます。以下の image_trial のように、音声を扱うプラグインと基本的に書き方は共通するため便利です。

```
var image_trial = {
  type: jsPsychImageButtonResponse,
  stimulus: 'img/happy_face_1.png',
  choices: ['うれしい顔', '悲しい顔'],
  prompt: '<p> この人はうれしい顔をしていますか。\
悲しい顔をしていますか。</p>'
};
```

　image-button-response（タイプ名：jsPsychImageButtonResponse）は画像提示に特化したプラグインであり、プラグインのパラメータを設定することで、画像の大きさや縦横比を維持するかどうか、マージンなどを簡単に調整できます。また、GIF のようなアニメーションつきの画像も使用できます。ただし、アニメーションつきの GIF 画像を

使用する場合は、render_on_canvas というパラメータを
デフォルトの true から false に変更する必要があります。
これは、HTML5 の canvas 要素が静止画しかサポートし
ていないためです。

　jsPsych のプラグインは JavaScript ベースであるた
め、画像提示に特化したプラグインでなくても HTML で画
像を提示できます。たとえば、Audio-button-response
など別のプラグインをメインに使用したいが、選択肢のボタ
ンを画像にしたい場合は、ボタンの選択肢を設定するパラ
メータによって、HTML で画像を挿入することもできます。
apple.jpeg という画像ファイルを選択肢に入れる場合は、
stimulus の パ ラ メ ー タ に '<img src='img/apple.
jpeg'></img>' を入れることで画像の選択肢を作成できま
す。ただし、image 系以外のプラグインを使用しながら画
像を入れる場合、画像の大きさや位置などは HTML を使用
して設定する必要があります。何も設定せずに入れた場合、
画像の元の大きさで提示されます。設定方法は HTML の
「img 要素」で調べられます。

　もちろん、映像を刺激として提示することも可能です。
jsPsych では映像提示に特化した video 系のプラグインが
用意されています。書き方は下の video_trial のように、
ほかのメディアのプラグインと大きく異なる点はないので、
映像を扱う実験でも簡単に作成できます。

```
var video_trial = {
  type: jsPsychVideoButtonResponse,
```

```
    stimulus: [
        'video/fish.mp4'
    ],
    choices: ['0-5', '6-10', '11-15', '16-20',
'21-25', '25+'],
    prompt: '<p> 映像のなかには、\
どのくらいの数の魚がいましたか。</p>',
    response_allowed_while_playing: false
};
```

　どんなメディアを使っていても、実験参加者の通信環境を統制することは困難です。文字提示は問題ないにしても、画像や音声、画像になると、通信速度によって選択肢の出るタイミングが異なったり、うまく実験を完了させることができなかったりするリスクがあります。特に反応時間も分析対象にしたい場合は通信環境の影響を最小限にしなければなりません。メディアを扱う実験を作る時に、preload のプラグインですべてのメディアファイルの読み込みを実験前に完了させることを忘れないでおきましょう。

A.2　Praat（音声分析（VOT）、音声刺激作成（VOT））

　ここでは、VOT（Voice Onset Time）の測定方法と変更方法について説明します。VOT とは、閉鎖音の破裂から声帯の振動が始まるまでの時間を指し、有声音か無声音かの区別に用いられます。VOT の値は、波形が縦軸方向に鋭く動き出す部分と波形に周期性が出てくる部分の時間で表さ

れ、無声音のほうが有声音よりも値が大きくなります。

桁

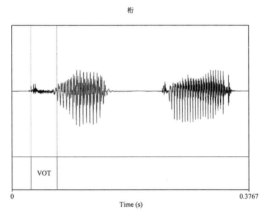

図10 「桁」の音声波形

下駄

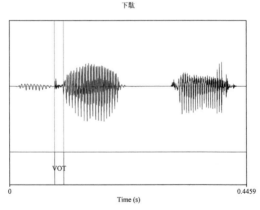

図11 「下駄」の音声波形

　ここでは、Praat というソフトを使って、簡単に時刻を測定する方法を説明します。まず、公式サイトから使用している OS を選択し、ファイルをダウンロードして展開します。プログラムファイルを実行するだけで、すぐに使用できます。音声ファイルをアイコン上にドラッグアンドドロップすると、音声波形が表示されます。下の時間が表示されているバーをクリックすると、音声が流れます。また、一部分だけを選択して再生することも可能です。

　一般的には、TextGrid というものを用いて、時刻にしるし[52]をつけ、そこからそれぞれの値を拾い上げて引き算します。自動化するためには、スクリプトを書くことができます。すでに書かれたものも多く公開されているので、興味があれば調べてみてください。ここでは、VOT の測定は、単に範囲を選択して、下のバーの部分に表示されている時間を読み取ることにします。これで測定完了です。

　つぎに VOT の操作方法について説明します。再生にかかる時間を短くして、VOT を切り詰めるのですが、ここでは、すでにスクリプトになっているものを使用してみましょう。ListenLab の GitHub ページ[53]にアクセスし、'Code' →'Download ZIP' の順にクリックして、ファイルをダウンロードします。ファイルを展開したら、Praat で DT_Deer.wav と DT_Tier.wav を開きます。バージョンを表す末尾の数字が最も大きい Make_VOT_Continuum のファ

---

52)　ここでは見やすさのため、point tier ではなく interval tier を使用しています。

53)　https://github.com/ListenLab/VOT

イルをテキストエディタで開いて、スクリプトをコピーします。これは Praat のスクリプトになっています。Praat に戻って、'Praat' → 'New Praat script' とクリックして出てきた画面にコピーしておいたスクリプトを貼りつけます。Run → Run とクリックして、スクリプトを実行します。'Save files' を 'do not save any files' に変更して、'OK' をクリックします。まず、有声音と無声音のファイルをそれぞれ選んで、それぞれ 'Continue' をクリックします。つづいて、無声音の最初の波形がギザギザになるところ（the START of the burst）、周期性が現れるところ（the END of the aspiration）、有声音の母音の始まり（the vowel onset）のそれぞれ位置を調整して、Continue をクリックすると、自動的に VOT の連続体が作成されます。サンプルの音声では正しい位置になっているので、Continue を 3 回押すだけで構いません。このようにして、VOT の連続体を作成できます。より詳しい説明は、GitHub のページをご覧ください。

A.3　音の研究に便利な資源

　本書のサポートページには、音の研究に役立つ無料のコーパスやオンライン辞書、プログラミング関連の資源などが掲載されています。これらの情報は、読者がより深い知識を得るために活用できるものであり、興味のある方はぜひ著者の GitHub ページを訪れてください。

A.4　Git と GitHub を用いたスクリプトの管理

　研究を進めるにつれ、実験や分析のスクリプトを管理する必要が生じます。また、LaTeX で書かれた原稿を管理することもあります。こうした場合、バージョン管理という概念を知っておくことで、研究の再現性を保証できます。Google ドキュメントや Microsoft Word を使用している場合でも、すでにバージョン管理を活用している方もいるかもしれません。バージョン管理をおこなうことで、実験でもさまざまなメリットが得られます。

　まず、ファイルを日付ごとに保存する必要がなくなります。たとえば、実験スクリプトで、前のバージョンに戻せるように日付をつけて保存したものの、ファイルが増えすぎてどれがどれだかわからなくなった経験はありませんか。また、1 つのファイル内の「あとで使うかもしれないコード」をコメントアウトしていったせいでスクリプトが肥大化した経験はないでしょうか。

　これらの問題（再現性の低下・ファイルの肥大化）は、Git というツールで解決されています。しかし、このツールを使うのは主にエンジニアであり、研究者コミュニティーには知見が入ってこず、難しいという印象があります。しかし、世界中で使われていることからわかるとおり、開発において Git は使えるようになるための苦労を超えるメリットがあります。分析業務はますます高度化しており、実験の作成や分析はすでに「開発」です。開発で使われている知識を活用しましょう。

　さきほど例に挙げた Google ドキュメントや Microsoft

Word でのバージョン管理は、1 つのファイルに制限された
ものです。それに対して、Git を使った場合はディレクトリ
単位に拡張できます。言い換えると、ファイル単位ではなく
ディレクトリ単位でバージョンを管理できます。バージョン
管理では、実験スクリプトやデータ、分析ノートに対して固
有の番号を共有させます。そして固有の番号にはコメントが
義務づけられているので、各バージョンが与えた変更や状態
をいつでも確認しやすい仕様になっています。

　Git の使い方は公式のドキュメントを読んだほうがわかり
やすいです。また、サポートページでも Git と GitHub を
用いて実験・分析スクリプトを管理する方法を共有していま
す。ここでは、ファイル名、文書ソフト、そして Git によ
るバージョン管理の違いを図 12 に示しながら、大まかなメ
リットを共有します。

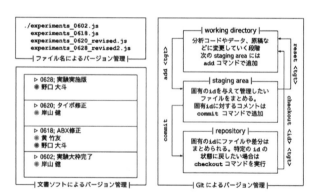

図 12　ファイル名、文書ソフト、そして Git によるバージョン管理の
　　　違い

　図 12 の左上に示されているように、ファイル名で管理する場合、日付やコメントはファイル名に集約されます。各ファイルを対象とする文書ソフトなどでは、各ファイルにバージョンとコメントが与えられます。一方、Git で管理する場合は、1 度 'staging area' に置いた複数のファイルに対してバージョンとコメントを与えます。そのため、特定のバージョンに戻す場合、Git はデータや実験スクリプト、分析スクリプトを扱えますが、文書ソフトでは保証できません。

　研究者は、Git と GitHub を使用して、自分のスクリプトやデータをディレクトリごとにバージョン管理し、共同作業をすることができます。Git を使用して、変更履歴を追跡し、バージョンを管理も可能です。GitHub を使用することで、自分のディレクトリをリポジトリとして公開し、他者と共有できます。また、GitHub 上では、他者のリポジトリをフォークし、自分のリポジトリとして使用することもできます。オープンサイエンスにおいても、Git と GitHub は、共同研究やデータ共有を支援するために重要な役割を持っています。

　Git と GitHub において、研究に役立つ最小限必要な機能は、スクリプトやデータのバージョン管理です。Git を使えば、研究に使用するスクリプトやデータをコメントつきでバージョン管理し、変更履歴を追跡できます。さらに、GitHub を使えば、リモートにもリポジトリを作成し、ローカルからリモートにプッシュして管理を分散できます。

　add（作業中の変更をステージングエリアに追加）、commit

（ステージングエリアに追加された変更をリポジトリにコメントをつけてコミットして変更履歴を記録）、push（ローカルリポジトリの変更をリモートリポジトリに反映）、merge（複数のブランチ間での変更を統合）、rebase（コミットの順序やベースを変更）、checkout（過去を含め、別のコミットに移動）くらいのコマンドが使えれば、十分活用できるでしょう。

　最初はステージングエリアという概念に困惑するかもしれませんが、これらのコマンドを使用すれば、Git を使用して研究をするための基本的な操作をおこなえます。ステージングエリアとは、Git でのバージョン管理の際に使用される概念で、変更をコミットする前に、変更をまとめるためのエリアです。作業中のファイルに変更をくわえても、変更はまだリポジトリに反映されていません。これらの変更を追跡するために、先述した add コマンドで変更をまとめます。ステージングエリアにまとめた変更をリポジトリに反映するには、git commit コマンドを使用して、コメントつきでまとまった変更をコミットする必要があります。コメントや日付の情報があるため、変更履歴は明確です。また、ステージングエリアを使用すれば、不要な変更を選択してコミットしないこともできます。

　Git にはもっと多くの機能があるため、必要に応じてコマンドを学習してみてください。

A.5　jsPsych バグが出たとき
　このセクションで紹介されたミニマルなスクリプトを

Cognition.run のソースコードに貼りつけると、動作すると思いますが、自分の実験のスクリプトを作成する際には、うまく動かないことがあります。Cognition.run のソースコードには行数が記載されており、JavaScript の文法の誤り（たとえば、かっこで囲まれていない）などがあった場合には、行の左側にエラーマークが表示されます。該当箇所を確認して修正すれば、多くの場合、動作するようになります。

　それでも動作しない場合は、表 9 のよくあるミスを確認しましょう。

問題	説明	解決方法
スクリプトに全角記号が含まれている。	選択肢や文章には全角記号を使用できますが、変数に全角記号を入れるとエラーが発生し、実行できなくなります。たとえば、変数の var ではなく中央の varが半角であるため、エラーが発生します。カンマ、カッコ、空白文字、クォーテーションも同様です。	スクリプト内では、提示された文章や選択肢以外はすべて半角記号を使用してください。
カンマとセミコロンの使い方が正しくない。	JavaScriptでは、カンマは複数の運算対象を区切るために使用されますが、セミコロンは文を区切るために使用されます。複数の文をつなぐ場合、セミコロンはほとんどの場合必要です。	要素とコマンドの区切りを確認し、全角のカンマやセミコロンが含まれていないかも確認してください。
参照されるファイルがアップロードされていない。	文字だけの実験では問題ありませんが、音声や映像などの外部ファイルを参照する場合、Cognition.runの左下にある'Upload'を使用してファイルをアップロードする必要があります。スクリプトに書かれているにもかかわらず、実際にアップロードされていない場合はエラーを発生します。	ファイルを確認し、参照する際は拡張子を含めて指定する必要があります。
スクリプトで指定したファイル名と実際のファイル名が一致していない。	スクリプトで指定したファイル名と実際のファイル名が一致していない場合、参照エラーが発生します。	スクリプトで指定したファイル名と実際のファイル名が一致していることを確認し、特にファイル名に記号や全角文字が含まれていないかをチェックしてください。
参照している変数が定義されていない。	JavaScriptでは、変数を使用する前に必ず宣言する必要があります。もし、利用された変数の定義をしていない場合、エラーを発生させ、スクリプトを実行できません。(この場合、シンタックスエラーといって、Cognition.runのスクリプトの左側にエラーが表示されます。)	利用されている変数の宣言を確認し、定義しない場合は宣言を追加してください。
jsPsychが初期化されていない。	jsPsychを使用する前に、必ず以下のように冒頭でjsPsychを初期化する必要があります。 var jsPsych = initJsPsych(){} jsPsychを初期化しない場合、jsPsychの関数を呼び出すことができず、エラーが発生します。	スクリプトの冒頭に、必ず以下のように冒頭でjsPsychを初期化する var jsPsych = initJsPsych({}) を追加し、jsPsychを初期化してください。

現象	説明	対応方法
jsPsych のタイムラインが定義されていない。	タイムラインを定義せずに jsPsych を使用すると、実験の流れが定義されていないため、エラーが発生します。	スクリプトの最後にあるタイムラインの定義するタイムラインが含まれるタイムライン配列を入れる必要があることを確認し、jsPsych.run() の中に定義するタイムライン配列を入れる必要があります。
タイムラインがリスト型になっていない。	jsPsych のタイムラインは、JavaScript の配列として定義する必要があるため、タイムラインを別のデータ型で定義した場合、エラーが発生します。	jsPsych.run() の入力がリスト型であることの確認してください。
使用しているプラグインで必要なパラメータがされていない場合。	jsPsych には多数のプラグインがありますが、それぞれのプラグインで必要なパラメータがあります。たとえば、audio-button-response などでは stimulus は必要なパラメータであり、入力するとundefinedというメッセージが表示されます。	jsPsych のサイトにある各プラグインのドキュメントを確認し、必要なパラメータを入れ忘れた場合に追加してください。
録音機器が初期化されていない（産出実験の場合）。	産出実験を実行する際に、ウェブブラウザの制限により、ユーザーが録音の許可を与えた場合にのみ録音を開始できるようになっています。録音機能を初期化しないとエラーが発生します。	html-audio-response という録音のプラグインを実行する前に InitializeMicrophone を実行してください。
preload プラグインが使用されていない（ファイル数が多い場合）。	複数の画像、音声、動画などのファイルを使用する場合には、preload プラグインを使用することで、ファイルの読み込み時間を短縮できます。preload プラグインを使用しない場合、つぎのステップに進めることができず、実験の時間が長くなったりウェブブラウザが止まったりする場合があります。	Preload プラグインを使用して、ファイルの読み込み時間を短縮してください。ただし、Preload プラグインのなかに auto_preload というパラメータがあるが、ファイルが複数の階層にある場合は、自動読み込みが機能しないため、preload 機能が正常に動作しないことがあります。
Cognition.run の制限を超えている。	Cognition.run の無料版では、ファイルサイズやファイル数などに制限があります。これらの制限を超えると、実験が正しく動作しなくなります。	ファイルの容量や枚数を確認し、必要に応じてファイルサイズを減らすか、有料版を検討してください。
SyntaxError は表示されないのに実行できない。	JavaScript の文法には違反していないが、参照しているライブラリがバージョンに含まれていない場合があります。	jsPsych のバージョンやバージョンによっては記法が異なるため、1.1 のコラムを参照してください。

表 9　エラーの現象と説明、対応方法

115

あとがき

　感染症の流行を経験し、世の中が大きく変わりました。そして、大規模言語モデルが世間をにぎわせており、世の中はまた新たな歴史の転換点を迎えています。データ収集の重要性がますます大きくなることはもちろん、わたしたち人間が何者であるのかという問いに社会の関心が向いています。ことばを人間がどう処理しているのかについて調べることはこの問いへの答えを得る方法になるかもしれません。言語音声のオンライン実験がその手段を提供することを願っています。

　本書の執筆にあたり、宮田瑞穂さんと服部玲可さん、張玉沛さん、高畑明里さんに草稿の段階でコメントをいただきました。また、jsPsych の開発者、操作画面の掲載を快諾くださった Cognition.run のみなさまにも心からの謝意を示します。さらに、若手に執筆の場を提供してくださった代表のさんどゆみこ氏に感謝申し上げます。代表の決断なしに、本書が世に出ることがなかったのはいうまでもありません。

　ようやくマスクを着用しなくてもよい日常が戻りつつあります。オフラインの生活を取り戻していくなかでも、オンライン実験を扱った本書がみなさまにとって有益な情報を提供できることを願っております。時代の変化に適応した新しい方法や知識が広く共有されますように。

愛知と東京で 3 年ぶりのマスクなしの春の訪れに
期待で胸をおどらせながら
2023 年 3 月 31 日
花粉症でマスクが欠かせない著者一同

著者紹介

黄竹佑

東京大学大学院総合文化研究科言語情報科学専攻にて博士号（学術）取得。現在、名古屋学院大学外国語学部で専任講師。主な研究分野は音韻論と音声学、心理言語学であり、特に言語におけるアクセントや声調について研究している。

岸山 健

東京大学大学院総合文化研究科言語情報科学専攻にて修士号（学術）取得。現在、法政大学文学部英文学科ほかで非常勤講師。主な研究分野は音声知覚の計算モデリング。個人事業主として独立後、機械学習プロダクトの開発や学習データの分析に従事している。

野口 大斗

東京大学大学院総合文化研究科言語情報科学専攻にて修士号（学術）取得。現在、東京医科歯科大学統合教育機構（教養部）ほかで非常勤講師。上智大学言語科学研究科言語学専攻博士後期課程在学中。研究の関心は、音韻論、言語教育と言語処理。著書に、『自然言語と人工言語のはざまで―ことばの研究・教育での言語処理技術の利用―』（教養検定会議）。

jsPsych によるオンライン音声実験レシピ

2023 年 6 月 30 日　第 1 刷発行

著　者———黄竹佑、岸山健、野口大斗

発行者———株式会社　教養検定会議　さんどゆみこ
　　　　　〒 156-0043　東京都世田谷区松原 5-42-3
　　　　　https://la-kentei.com/

印刷・製本——シナノ書籍印刷株式会社　　装丁——植木祥子

編集——野口大斗

ISBN978-4-910292-08-3　C0281

教養検定会議の二つの双書

新刊

中国社会言語学に関する初の日本語の入門書。中国語が
わからなくても読め、社会言語学の概念や用語、そして
ことばと社会の関係を、関連するエピソードや研究を通
してわかりやすく解説。中国社会言語学に興味のある
方、中国語を学んでいる方、そしてことばと社会の関係
について知りたい方におすすめ。

ウェブブラウザを使用したオンライン音声実験の入門書。感染症により対
面での実験が制限され、一般化したオンライン実験。単なるウェブフォー
ムでは実施が困難な音声実験を短いスクリプトで実現。対面実験が再開さ
れつつあるなかでも、地理的・時間的制約が少なく、コストや効率の面で
も色あせないオンライン実験。魅力的な実験手法をあなたの新たなレパー
トリーに。

5 自然言語と人工言語のはざまで
～ことばの研究・教育での言語処理技術の利用～

野口大斗 著 / 新書判 / 135 ページ / 定価 1500 円＋税

コンピュータが言語を生成できる時代にことばとどう付き合うべきか？ プログラミング言語（人工言語）とことば（自然言語）のはざまで生きることを余儀なくされたわたしたちが、AI とひとくくりにして言語処理技術をブラックボックスにしないために。ことばの研究者や教員、学生、プログラミングを始めた人に必読の 1 冊。

★ リベラルアーツ言語学双書

1 じっとしていない語彙

西山國雄 著 / 新書判 / 200 ページ / 定価 1000 円＋税
2021 年刊

2 日本語の逸脱文
～枠からはみ出た型破りな文法～

天野みどり 著 / 新書判 / 183 ページ /
定価 1000 円＋税 / 2023 年刊

3 やわらかい文法（仮題）

定延利之 著 / 新書判 / 予価 1500 円＋税 /
2024 年 2 月刊　予定